ASIE PLURIELLE

Inde

Un destin démocratique

MAX-JEAN ZINS

La **documentation** Française

DANS LA MÊME COLLECTION

Déjà paru

Indonésie
La réinvention d'un archipel
par François Raillon

A paraître

Viêt-Nam
Parcours d'une nation
par Philippe Papin

Corée
Une péninsule, deux Etats
par Christian Lechervy

Japon
par Pierre Souyri

Cartographie : Patricia Coyac
Première de couverture © R. Singh / ANA
Couverture et maquette intérieure :
Service graphique de La Documentation française

ISBN 2-11-004210-9

Pierre Gentelle, directeur de la collection
Michèle Rodière, responsable éditoriale

Présentation

Asie plurielle veut mettre l'accent sur l'analyse et la présentation des sociétés et des cultures asiatiques sur lesquelles pèsent les effets de la modernisation des économies et du politique, ainsi que ceux de la mondialisation. La collection vise à rendre compte de ces transformations. Elle aborde ces questions à partir de l'étude d'espaces soit nationaux - Inde, Indonésie, Vietnam, etc, soit régionaux - l'islam en Asie, l'environnement en Asie du Sud-Est, etc.

Il est notoire que les fondements culturels des peuples demeurent déterminants pour comprendre l'ensemble de la société et de l'économie, ou pour apprécier la place et le rôle dévolus aux différentes unités culturelles qui constituent la population de ces pays. L'Asie se présente à nous comme un monde de cultures « dures », diverses, complexes, qui non seulement résistent au regard que l'Occident éclairé porte sur elles, mais est aussi capable de proposer un discours sur elle-même et un discours sur l'Occident. La collection s'attache donc à rendre accessible la diversité des lectures du monde contemporain.

Table des matières

AVERSTISSEMENT

En 1973, l'un des auteurs du «*New Cinema*» indien, Govind Nihalani, signe son premier grand film, *Ankur*, «La Graine». Le film connut un large succès. L'action se déroule en Andhra Pradesh. On y voit deux mondes se côtoyer. L'un est féodal, et il n'est pas forcément plus hideux que le nouveau, du point de vue des valeurs morales. C'est celui du père, un propriétaire terrien absentéiste. Il est marié. Il a une maîtresse, qu'il ne cache pas, en bon patriarche. Il l'a dotée d'une petite ferme pour qu'elle puisse vivre décemment, elle et la progéniture qu'elle a eue de son maître. L'autre est capitaliste. C'est celui du fils, Surya, l'ingénieur. Surya revient sur la propriété familiale pour la superviser. Il a fait ses études à la ville, où il a laissé la jeune femme qu'il a épousée dans le cadre d'un mariage «arrangé» par les parents, comme cela est encore très généralement la règle en Inde. Il représente le nouveau monde, citadin, ouvert sur les nouvelles valeurs, favorable à de nouveaux rapports entre individus, quelle que soit leur caste. Bref, Surya est moderne. Solitaire dans la maison ancestrale, la seule du village construite en dur, il séduit sa servante, Lakshmi. Elle est mariée. Son mari s'est enfui après avoir commis un vol de *toddy*, un alcool de palme. Elle n'est pas indifférente au charme de son jeune «patron», qui lui explique que les rapports humains sont en train de changer dans le monde. Et elle se retrouve enceinte. Mais voilà ! La femme de Surya arrive au village. Tout comme le mari de Lakshmi. Qui revient pour donner à sa femme l'argent qu'il a gagné pendant sa fugue et qui, tout attendri, prend le bébé qu'elle porte pour le sien. Du temps du père de Surya, tous les éléments d'une solution à l'amiable, dans un cadre féodal, auraient été aisément trouvés : Lakshmi aurait été officiellement dotée d'une petite maison, le bâtard aurait été reconnu, et le mari de Lakshmi, apaisé par toutes ces faveurs, aurait accepté son sort de mari bafoué. C'est précisément ce type de solution «facile» que la culture moderne de Surya ne permet pas de dégager. L'histoire, dès lors, va mal finir. Le film s'achève sur l'image d'un gosse du village qui jette une pierre dans les vitres de la maison du maître. La modernité et ses nouvelles valeurs ont semé la graine de la révolte.

Il ne s'agit, certes, que d'un film. Mais qui exprime bien, de par son succès même, certaines des grandes transformations en cours en Inde. En vérité, tout le pays fait aujourd'hui, sous nos yeux, l'objet de chamboulements économiques, politiques et culturels profonds. En 50 ans d'indépendance, l'Inde a sans doute changé autant qu'en deux siècles de colonialisme. Depuis le début des années 1960, le rythme des bouleversements s'est encore accru. On imagine sans peine ce que cela signifie de tensions, de quêtes de nouveautés, de regrets de l'ancien, d'inventions de traditions pour légitimer les nouveaux discours, de désarrois, de certitudes.

C'est dans ce cadre que l'analyse de l'Inde mérite l'attention. Elle concerne un pays riche de bientôt un milliard d'habitants et qui, en 1998, est entré dans le club des grandes puissances nucléaires. Tout ce qui a trait à ce pays a immanquablement un impact sur le reste du monde.

Pourquoi avoir intitulé ce livre «un destin démocratique» ? En aucun cas par référence à la définition du destin, puissance fixant de façon irrévocable le cours des événements. L'Inde n'est pas plus sujette au *fatum* latin que n'importe quel pays. Il n'est pas de fatalité qui fasse de l'Inde, nécessairement, obligatoirement, une démocratie. Mais il est, en revanche, une contrainte que cet immense pays subit, compte tenu de son extraordinaire diversité : pour préserver son unité, il lui faut respecter sa pluralité, tout comme il lui faut, pour assurer le «vivre ensemble» de ses multiples composantes, se doter d'une entité nationale et étatique cohérente, mais souple. C'est ce qu'on appelle en Inde la «dialectique de l'unité et de la diversité». Sans elle, l'Inde telle qu'elle est aujourd'hui ne saurait exister. Trop d'unité, c'est-à-dire trop de centralisation, quelle que soit la forme que cela pourrait revêtir, la ferait immanquablement éclater. Mais trop peu d'unité, c'est-à-dire trop de mollesse ou d'indécision de la part de son Etat central, risquerait tout autant de favoriser ses inhérentes tendances centrifuges. Tout est, là, affaire de dosage pour ceux qui dirigent le pays.

Or, qui dit dosage dit compromis et reconnaissance de l'expression légitime des différences, et donc démocratie. En ce sens, l'avenir de l'Inde apparaît consubstantiellement lié à la faculté du pays de faire vivre sa démocratie. Condamnée à la démocratie pour exister : tel serait, par conséquent, le sort de l'Inde. Une destinée, somme toute, enviable.

PREMIÈRE PARTIE

L'un et le multiple

Un milliard d'hommes vivent sous le même toit étatique et national : le phénomène indien est encore plus étonnant que celui de la Chine. La Chine, comparée à l'Inde, fait schématiquement l'effet d'un pays infiniment plus monolithique, soudé autour d'une seule et même langue dominante, d'un même type de peuplement, d'un seul et même ordre politique, fût-il celui des Hans, des Mandchous ou des communistes. L'Inde, elle, est multiple. L'hindouisme lui-même, qui n'est pas à proprement parler une religion mais plutôt une façon de vivre et de penser, est pluriel. Il est divisé en milliers de castes et en centaines de sectes et autorise des millions de comportements individuels qui, aussi légitimement différents qu'ils soient, restent toujours «hindous». Et son exemple déteint sur les autres communautés religieuses. Les communautés musulmanes, chrétiennes ou sikhes sont, elles aussi, divisées en castes, comme si elles étaient «contaminées» par l'hétérogénéité du milieu dans lequel elles sont plongées. Il est des chrétiens de basses et de hautes castes ; et les seconds ont parfois dans les églises des portes que les premiers, qui ont les leurs, ne franchissent pas, même s'ils en ont évidemment le droit. Rien, peut-être, ne restitue mieux cette sensation du Multiple donnée par l'Inde que la luxuriance des temples, le foisonnement des dieux qui y sont sculptés, la multiplicité de leurs attitudes, les cascades vertigineuses de réincarnations qu'ils subissent, les innombrables cultes spécifiques dont ils font l'objet selon les régions, les familles, les villages, voire les individus.

Mais si l'Inde est à ce point «multiple», c'est précisément parce qu'elle est «une». Elle est, en effet, à elle seule un «pays-monde», une sorte d'univers en soi, distinct des autres «mondes». Non, certes, qu'elle n'entretienne pas avec l'étranger toutes sortes de relations. L'Inde n'a jamais vécu en isolement. Les mers n'ont jamais été un obstacle à la pénétration étrangère et, dans la chaîne de l'Himalaya, des défilés ont toujours été empruntés par des pèlerins ou des marchands venus de Chine et d'Asie du Sud-Est, ou s'y rendant. Les dernières grandes invasions musulmanes sont d'ailleurs venues de ce chemin, déversant sur la plaine de l'Indus et du Gange des dynasties issues des mondes turc et persan. Mais voilà : à la différence des Européens, ces envahisseurs ne sont pas «rentrés chez eux» une fois leurs razzias effectuées. Ils sont restés en Inde. Ils s'y sont laissés absorber. Il serait sans doute plus juste de dire «englober» tant le monde nouveau dans lequel ils entrèrent et qu'ils transformèrent, sut en même temps les retenir et les rendre «Indiens». Ce «vivre ensemble» dans la différence est l'une des clés de l'Inde.

CHAPITRE 1

Quelques données géographiques

Il y a de cela quelque 200 à 225 millions d'années, quand commence la dérive des continents qui donne à la surface de la planète sa configuration d'aujourd'hui, l'Inde, déjà, se singularise. Elle est, de toutes les terres, celle qui fait le plus long et fascinant voyage. Elle se détache de l'Afrique elle-même alors collée à l'Antarctique pour, immense île, pérégriner sur les océans avant d'aller « cogner », il y a 50 millions d'années, contre la plaque eurasienne qui s'est formée entre temps. Cette longue histoire donne l'une des clés de son aspect physique d'aujourd'hui. L'Inde est nettement composée de deux ensembles différents. On y distingue, d'une part, une immense région de plaines et de plateaux constituant la majeure partie du « triangle » indien et, d'autre part, un énorme bourrelet montagneux constitué par l'Himalaya. Cette chaîne de montagnes, la plus haute du globe, est le produit direct de la collision titanesque de l'ancien continent indien avec ce qui est aujourd'hui la Chine, une collision toujours en cours puisque l'Inde glisse lentement sous la plaque continentale asiatique à raison d'un centimètre par an environ ; en conséquence, le plissement himalayen continue à s'élever. Les effets du climat et du régime des pluies expliquent pour une bonne part la morphologie de la surface du territoire. La façon dont les hommes ont occupé l'espace est évidemment liée à sa configuration, même si les habitants du centre du Deccan ont su trouver des solutions à la pauvreté des sols pour continuer à y cultiver : on s'entasse beaucoup plus dans les plaines, côtières et fluviales, que dans les montagnes ou sur le plateau.

Un « quasi-continent »

Globalement, l'Inde occupe la plus grande partie de ce qu'on appelle l'Asie du Sud, constituée en outre aujourd'hui de six Etats indépendants : le Pakistan, le Bangladesh, le Népal, le Bhoutan, Sri Lanka et les îles Maldives. Sa superficie de 4 millions de km^2 équivaut *grosso modo* à celle de l'Europe, de la frontière de l'ex-URSS à l'Atlantique et de la Méditerranée à la Scandinavie (Finlande non comprise). A ce titre, l'Inde fait figure de sous-continent, dès lors que l'œil la situe spontanément « en dessous » du continent asiatique. Elle apparaît n'en constituer qu'une sorte d'appendice entrant profondément dans la mer. Comme on vient de le rappeler, la réalité historique et géologique ne correspond pas cependant avec cette image. Au sens strict du terme, il vaut donc mieux caractériser l'Inde (et les petits Etats qui l'entourent) de quasi-continent. Cela permet de mieux comprendre les aspects géographiques d'un pays qui s'étend du nord au sud, c'est-à-dire du 8e au 30e parallèle, sur quelque 3 200 km, et d'est en ouest sur environ 2 700 km.

Au nord, l'Himalaya représente en Inde un espace montagneux de 200 à 400 km de large qui sépare le pays d'est en ouest de la masse tibétaine. Une fois franchi un rapide piedmont à végétation luxuriante favorable à l'implantation de nombreux lieux de villégiature, on se retrouve dans la région des plus hauts sommets du globe, avec le massif de l'Everest culminant à 8 800 m. Comme on est là dans des montagnes de basse latitude, les étages de végétation ne correspondent pas à ceux des zones tempérées. Les forêts de « pins subtropicaux » subsistent jusqu'à 1 800 m. C'est seulement à partir de cette altitude que commencent les étages montagnards à chênes et conifères. Ils « grimpent » jusqu'à 3 000 m. A 4 000 m, on trouve encore des conifères et des rhododendrons. Il faut, pour trouver des neiges éternelles monter encore beaucoup plus haut. Les glaciers, quant à eux, restent confinés au-dessus de 5 500 à 6 000 m. Monde mythique où sont nés nombre de dieux hindous, l'Himalaya donne naissance aux plus grands fleuves de l'Inde du Nord, à commencer par l'Indus, le Gange et le Brahmapoutre. Cette haute chaîne fascine les imaginations, attire les ascètes qui vont, à pied, vivre dans ses vallées et, depuis peu, les touristes. Elle joue cependant un rôle marginal dans l'économie du pays. L'énergie de ses rivières est difficile à capter et à transformer en hydroélectricité. Ses flancs sont l'objet de déforestations sauvages. Soumis à de fortes pluies, ils se ravinent et voient dévaler vers le bassin du Gange des tonnes de terre qui, aggravant l'ensablement des fleuves et des rivières, sont à l'origine de terribles et meurtrières inondations récurrentes dans les plaines. Surplombant directement les zones les plus peuplées et les plus industrialisées du « sillon indogangétique », l'Himalaya ne constitue pas une barrière de protection entre l'Inde et la Chine d'un point de vue militaire. Comme le Tibet, partie intégrante de la Chine, ne saurait constituer une zone tampon entre l'Inde et la Chine, la première se trouve en état d'infériorité géostratégique par rapport à la seconde. Pour ainsi dire à portée de tir des canons chinois, l'Inde ne peut, en retour, songer à frapper facilement les zones vives de la Chine, toutes situées le long de la mer de Chine à des milliers de kilomètres des points de lancement de ses vecteurs. Ce déséquilibre géostratégique est à la source des craintes que l'Inde nourrit vis-à-vis de son puissant voisin du nord. On peut comprendre, dans ces conditions, l'attention que porte l'Inde aux deux petits Etats himalayens du Népal et du Bhoutan, que New Delhi ne souhaite pas voir tomber dans l'orbite chinoise.

Le reste de l'Inde, c'est-à-dire les 9/10 du pays, est composé d'immenses régions de plateaux et de plaines. Les premières appartiennent à un socle très ancien appelé souvent « socle du Deccan ». Généralement, on qualifie de « Deccan » la partie sud de l'Inde. Mais, du point de vue géologique, le « socle du Deccan » remonte quasiment jusqu'à New Delhi. Il présente de multiples aspects morphologiques selon les roches qui le composent et l'érosion qui les cisèle. Trois grands ensembles peuvent être distingués au prix de grandes généralisations. D'une part, un immense triangle de lave recouvre tout le Nord-Ouest de l'Inde. Sa pointe sud se situe aux environ de Goa, sa pointe nord inclut les monts Vindhya, et sa pointe orientale atteint la ville de Nagpur. Cette zone recouvre donc notamment tout le plateau mahratte, riche en coton, et l'arrière-pays de Bombay au sens très large. C'est dans cette région qu'on trouve les caves et des grottes d'Ajanta et Ellora taillées dans une roche de couleur gris foncé, fameuses pour leurs fresques. D'autre part, une zone de blocs cristallins découpés et soulevés s'étend au Nord-Est de l'Inde, entre la vallée de la Godavery au sud et celle de la Mahanadi au nord. Elle correspond à la plus grande partie de l'Etat de l'Orissa et la partie orientale de l'Etat du Maddhya Pradesh. On trouve là les régions les plus sauvages de l'Inde, siège de l'ancien Etat « féodal » de Bastar. Cette entité géographique est prolongée au nord par des plateaux cristallins homogènes et peu disséqués recouvrant une partie des Etats du Bihar et d'Uttar Pradesh. Enfin, tout le Sud de la péninsule, *grosso modo* jusqu'à un peu plus au nord du fleuve Krishna, est également composé de roches cristallines. On y trouve notamment le plateau du Mysore, où l'on recueille le café, parsemé de buttes coniques, avec ses rivières dévalant des cascades avant d'aller constituer leurs vallées séniles. La pointe méridionale, quant à elle, abrite deux superbes massifs montagneux aux sommets arrondis atteignant presque les 3 000 m d'altitude, mais dominant à peine de hautes surfaces faiblement ondulées bordées de fortes pentes verdoyantes et boisées, riches en bois tropicaux et en épices.

L'élément le plus spectaculaire de ce relief est constitué par la bordure occidentale du plateau du Deccan. Une sorte de gigantesque marche d'escalier ou gradin (*ghât*), haute en moyenne de 500 à 600 m, parfois plus, parcourt toute la côte ouest de l'Inde, du Gujarat jusqu'à la pointe sud de la péninsule : c'est le *ghât* occidental. Entre ce dernier et la mer, une zone de plaine littorale émaillée d'éperons rocheux détachés du *ghât* s'étire quasiment en continu de la fosse de la Tapti au nord à la trouée de Palghat au sud. Le *ghât*, toutefois, n'offre pas un aspect identique sur tout son long. Sauvagement attaqué par l'érosion, il présente un relief très découpé, fait d'éperons hardis et de gorges profondes. Sur la côte est, on retrouve le même phénomène de *ghât*, mais beaucoup plus discontinu et confus, de telle sorte qu'il existe une grande différence d'aspect entre les côtes orientales et occidentales de l'Inde, les premières étant nettement moins impressionnantes que les secondes. Comme à l'ouest, mais plus étendue en largeur, on trouve une longue bande de plaines côtières dont la principale est constituée par la plaine tamoule, dans l'Etat du Tamil Nadu.

Comme tout le Deccan est incliné d'ouest en est, les rivières qui le traversent prennent leur source à quelques kilomètres du rebord du *ghât* occidental pour aller, striant l'Inde, trouver leur embouchure sur la côte opposée. Il en va ainsi de la Cauvery, de la Krishna et de la Godavery. Exception majeure, la Narbada se jette dans le golfe de Cambay. Il va sans dire que les pluies torrentielles qui s'abattent sur l'Inde pendant la mousson dessinent, à des degrés divers, de nombreux et spécifiques micro-reliefs tourmentés et escarpés qui contribuent à rompre la monotonie des paysages. Des groupes plus ou moins bien armés vivant en marge de la loi peuvent y trouver abri aisément. Ce relief d'ensemble sans unité réelle à l'échelle de toute l'Inde contribue sans doute au fait que le pays se soit longtemps fragmenté en multiples royaumes ou sultanats.

Le monde des plaines concerne évidemment les côtes et les divers bassins fluviaux, mais ceux de l'Indus, du Brahmapoutre et du Gange sont les plus importants. Le bassin de l'Indus, qui a donné son nom à l'Inde, est pour l'essentiel situé sur le territoire du Pakistan. Il ne laisse à l'Inde que le cours supérieur de deux des cinq rivières dont est issu le nom de l'Etat du Punjab, le grenier à blé de l'Inde. Punjab veut dire littéralement le « pays des cinq rivières », *panch* signifiant cinq en sanscrit, une racine que l'on retrouve dans le mot punch, à l'origine un cocktail composé de cinq ingrédients. Le Brahmapoutre, quant à lui, irrigue essentiellement le Bangladesh, son cours le plus haut formant en Assam, terre des plantations de thé, une plaine très étroite. Ses multiples bras se mêlent avec ceux du Gange pour former au Bengale une immense région deltaïque, propice à la pêche, à la culture du riz et du jute, mais qui est aussi la proie d'inondations catastrophiques dont les victimes peuvent alors se compter en centaines de milliers de personnes. Depuis plusieurs siècles, le chenal principal a tendance à se déplacer vers l'est, de telle sorte que l'Inde n'a plus sur son territoire que le delta « mort » qui écoule une faible part seulement des eaux par des chenaux, comme la Hooghly qui traverse Calcutta. Le barrage de Farraka, construit par l'Inde en 1974 sur l'un des bras du Gange, vise précisément à se prémunir contre les effets d'une telle dérivation. Sa construction a engendré un délicat contentieux sur le partage des eaux avec le Bangladesh.

J. Nehru, Premier ministre et géographe

A propos de la taille de l'Inde :

« Je peux comprendre que les plus petits pays d'Europe ou d'Asie soient contraints par les circonstances à plier devant les grandes puissances pour en devenir pratiquement des satellites : ils ne peuvent pas faire autrement. La puissance à laquelle ils sont confrontés est si forte qu'ils n'ont nulle part où se tourner. Mais cette considération ne s'applique pas à l'Inde. Nous ne sommes pas les citoyens d'une pays faible ou petit ».

A propos de l'emplacement de l'Inde sur la surface du globe, un peu à l'écart du monde :

« Notre situation géographique ne nous incite pas à nous laisser entraîner dans les controverses avec la fureur passionnée qu'y mettent d'autres pays ; cela ne tient pas au fait que nous sommes bons ou mauvais. C'est une question de géographie ».

A propos de la place de l'Inde en Asie :

« Partout où va un Indien, il se sent un Asiatique ».

J. Nehru, *India's Foreign Policy*.

De tous les fleuves de l'Inde, c'est le Gange qui compte le plus pour les Indiens. D'abord pour des raisons économiques : il irrigue tout le Nord du pays qui, sans lui, ne pourrait vivre. Ses alluvions nourrissent la terre des deux Etats les plus peuplés de l'Inde, l'Uttar Pradesh (près de 140 millions d'habitants lors du dernier recensement de 1991) et le Bihar (quelque 90 millions d'habitants) et, bien sûr, le Bengale occidental (70 millions d'habitants). Couvrant un espace d'un million de kilomètres carrés, le bassin du Gange constitue donc l'une des plaines les plus peuplées du monde. *Ganga*, comme on l'appelle en Inde, n'est pourtant pas un fleuve facile. Dévalant de la montagne jusqu'à la ville de pèlerinage de Hardwar, sa déclivité devient ensuite très faible : 300 m pour un cours de 1 700 km. Son débit varie énormément de la saison sèche à celle des pluies, de telle sorte qu'il est alternativement cause d'inondations et ressource insuffisante d'eau. Ensuite pour des raisons religieuses : il n'est pas de fleuve plus sacré que le Gange aux yeux des hindous. On rêve d'aller le voir, d'en recueillir les eaux, de s'y baigner (même s'il est en vérité très pollué en raison de la saturation des stations d'épuration) et d'y faire répandre ses cendres après sa mort. La déesse Ganga est selon la légende descendue du ciel grâce aux dieux Brahma et Shiva pour redonner la vie à la terre et la purifier. Elle est en quelque sorte « le Ciel sur terre » et y faire ses ablutions revient à prendre un bain dans le Ciel. Sur ses berges, bat le cœur de la ville sainte de Bénarès, ville de pèlerinage que tout hindou se doit en principe de visiter une fois dans sa vie, et célèbre pour ses bûchers funéraires longeant le fleuve.

L'eau du Gange

Selon la tradition, l'eau du Gange est symbole de la pureté originelle. Dans la conscience populaire hindoue, cette eau *purificatrice* qui dissout les fautes devient aisément l'eau *pure*, et on peut donc la boire. Dans maintes familles hindoues, on la conserve dans de petits pots de cuivre scellés. On en fait parfois couler quelques gouttes entre les lèvres du mourant ou du mort, ultime viatique pour faciliter sa résorption dans l'Absolu. Cette gorgée peut aussi être l'ultime tentative qu'on administre à un malade pour essayer de le sauver. On entend dire souvent que l'eau du Gange, recueillie au milieu du lit du fleuve après avoir tourbillonné sur des kilomètres de distance, serait naturellement purifiée par les rayons ultra-violets. Diverses commissions d'experts mises en place par le gouvernement de l'Etat de l'Uttar Pradesh soulignent néanmoins que l'eau du Gange est polluée, y compris dans la ville sainte de Vãrãnasi (Bénarès).

Un environnement océanique

Avec ses 7 000 km de côtes et son millier d'îles, parfois très distantes du continent comme les îles Laquedives à l'ouest et les îles Andaman à l'est où les Britanniques avaient coutume de déporter les militants du mouvement d'indépendance nationale, l'Inde n'est pas seulement un monde de terriens. Elle est aussi une nation maritime. La mer, il est vrai, a longtemps représenté pour les hindous un univers d'impureté avec lequel il ne convenait pas de frayer. Ses pêcheurs appartiennent traditionnellement aux castes les plus basses. Pendant des siècles, avant l'arrivée des premiers colonisateurs européens (portugais et hollandais), ses communautés de marchands de mer étaient pour l'essentiel composée de musulmans, de bouddhistes, de jaïns. Mais l'Inde se perçoit aujourd'hui comme la principale puissance d'une immense zone océanique bordée à l'est par les côtes orientales de l'Afrique, du golfe persique à l'Afrique du Sud, et à l'ouest par l'Australie et l'archipel indonésien. Elle apprécie donc le terme d'océan *Indien* attribué aux eaux qui baignent ses côtes de la mer d'Oman au golfe du Bengale ; cet enthousiasme, en revanche, n'est guère partagé en Indonésie. Ses ports, il est vrai, comptent parmi ses villes les plus importantes, telles Bombay (rebaptisé récemment Mumbay), véritable capitale du monde des affaires de l'Inde, Calcutta, l'ancienne capitale de l'Empire des Indes jusqu'en 1911, et Madras (appelé aujourd'hui Chennai), la capitale du Tamil Nadu.

Outre certaines considérations géostratégiques qui font craindre à l'Inde l'intrusion de marines de guerre étrangères à la région, l'intérêt de New Delhi pour l'océan Indien s'explique avant tout par des considérations économiques. En 1976, l'Inde porte l'étendue des zones maritimes sous sa juridiction (eaux territoriales, zone économique, plateau continental) à 1,6 million de km^2, soit presque 60 % de la surface du pays. Le pays extrait du pétrole *off shore* au large de Bombay et dans le golfe du Bengale. 97 % de son commerce extérieur s'effectue par voie maritime. L'océan Indien constitue également une zone importante pour la recherche scientifique indienne. L'Inde commence ainsi en 1981 l'exploitation des nodules polymétalliques en zone internationale par 4 500 m de profondeur et obtient en 1987 le premier permis de prospection et d'exploitation délivré par la commission préparatoire des Nations unies pour l'Autorité internationale des fonds marins. Elle envoie des expéditions scientifiques en Antarctique où elle dispose déjà de sa première station permanente de recherche. Bref, on ne peut plus aujourd'hui faire la géographie de l'Inde sans inscrire ce pays dans son environnement océanique.

L'importance de la mousson

« La mousson, c'est la vie », pourrait-on dire en Inde. 90 % des pluies sur les cinq sixièmes du territoire sont apportées par la mousson. Le mot, utilisé par les anciens navigateurs arabes, servait à qualifier les vents saisonniers (*mausin* = saison) qui, deux fois l'an, s'inversent sur l'ensemble du sous-continent. Par extension, il en est venu à signifier la saison des pluies qui, du mois de juin au mois d'août, se déversent sur le pays et dont la faiblesse ou l'importance, variables selon les années, conditionne la pauvreté ou l'abondance des récoltes.

Fondamentalement – hormis l'Extrême-Nord himalayen du pays – l'Inde connaît deux saisons bien tranchées : la saison fraîche et la mousson et, entre les deux, deux inter-saisons. Pendant la saison fraîche (qui correspondrait plus ou moins à l'hiver européen), toute l'Inde est envahie par un courant atmosphérique en provenance de la masse continentale de l'Asie centrale. Il est donc à l'origine froid et sec. Il arrive en Inde par le Pakistan, parcourt le « sillon indogangétique » puis fait une volte pour se diriger ensuite vers le sud. De la moitié du mois de septembre jusqu'au début du mois de juin environ, il ne pleut donc quasiment pas en Inde du Nord. Il pleut en revanche un peu en Inde du Sud. Plus on vit au nord, plus la fraîcheur est nette. En décembre, le Punjab, New Delhi et certaines villes de la plaine du Gange peuvent, durant la nuit, subir des froids sévères frisant le gel et causant la mort de nombreux sans-logis très peu chaudement vêtus. A la même date, au sud, sur les côtes du Kérala, la fraîcheur est nettement plus supportable et le thermomètre monte au-dessus des 20 – 25°. Mais à partir de la mi-mars, les températures commencent à s'élever rapidement. Les mois d'avril et de mai sont de véritables fournaises. On atteint facilement les 40° ou les 45°, sauf en altitude. C'est l'époque où des millions d'yeux se portent vers le ciel, dans l'attente des pluies salvatrices dont l'approche charge peu à peu l'air d'humidité. La saison de la mousson marque un renversement des vents. Ceux-ci viennent désormais de l'hémisphère sud, après avoir traversé l'équateur dans la moitié occidentale de l'océan Indien. Ils arrivent au début du mois de juin sur la côte ouest de l'Inde, traversent le Deccan, survolent le Bengale et l'Assam

Vents et pluies

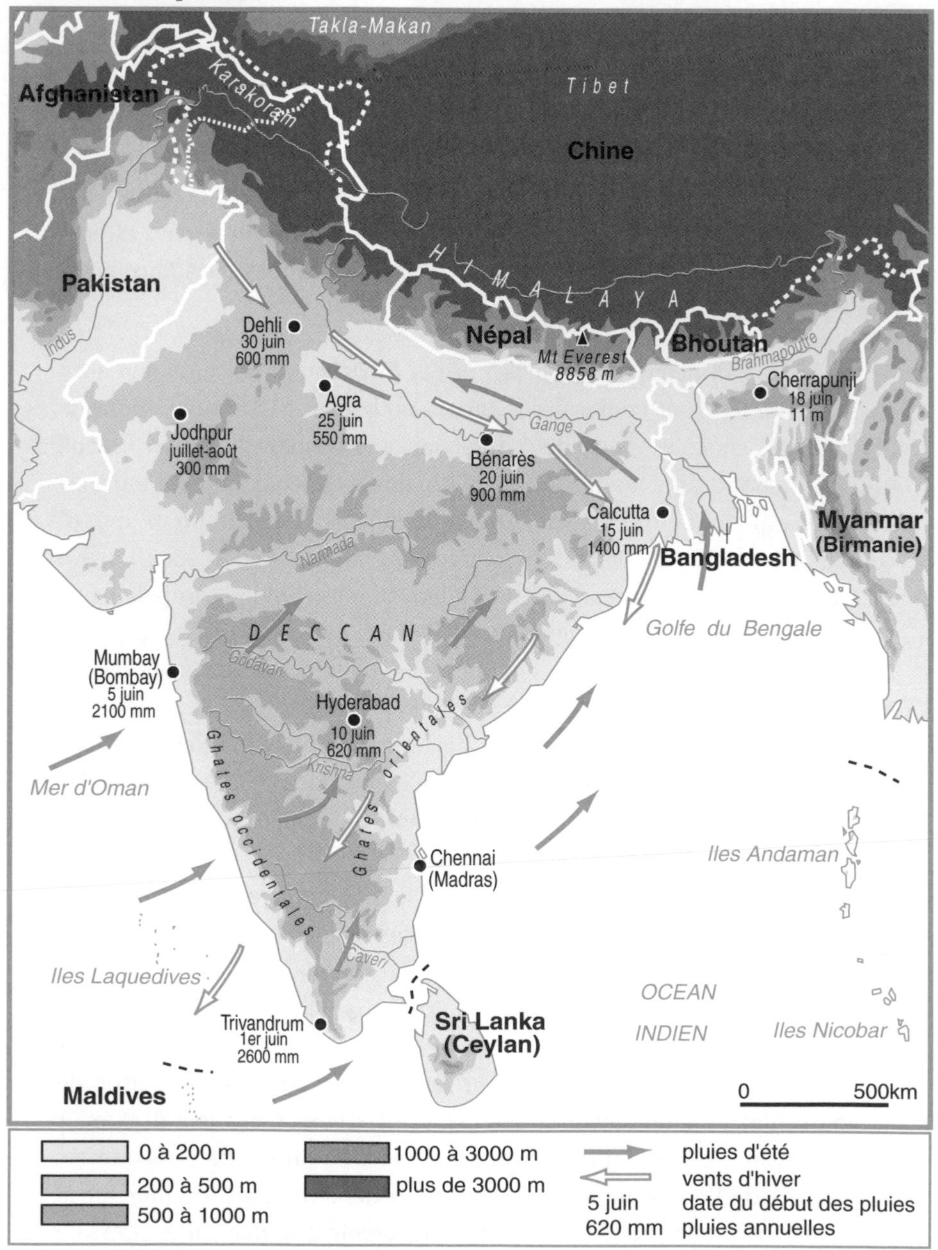

et, butant sur l'Himalaya, remontent d'est en ouest le long de la plaine du Gange pour venir mourir au-dessus du Rajasthan, en juillet ou en août. Il peut parfois pleuvoir encore à New Delhi au début du mois de septembre. Les régions les plus arrosées sont celles de la côte ouest et du cours inférieur du Gange : les pluies s'y font diluviennes. La fin de la mousson correspond au nouveau retournement des vents et, peu à peu, la saison d'hiver commence à s'installer. Cette succession des saisons est évidemment primordiale pour le calendrier agricole indien. Les cultures les plus importantes, dites *kharif*, correspondent à la mousson : semailles avec les premières pluies, récolte à partir de septembre. Elles concernent les céréales les plus importantes comme le riz, mais pas le blé ; coton, jute, arachides, appartiennent à la même catégorie. Les cultures *rabi* sont faites en hiver : semailles pendant les derniers jours de la saison pluvieuse, récolte avant les grandes chaleurs. Les récoltes *rabi* intéressent surtout les plantes qui ne supporteraient pas les grandes chaleurs de l'été et qui peuvent bénéficier de l'irrigation : blé, légumineuses, légumes, oléagineux comme le sésame.

L'attente de la mousson

« On guette l'arrivée de la pluie. On cherche à la deviner à plusieurs signes et présages. On croit la discerner lorsque les grenouilles commencent à croasser et les fourmis noires à sortir en masse de leurs fourmilières pour transporter leurs œufs dans des abris plus élevés. Dans certaines régions, on la voit approcher quand les fourmis blanches sortent de leurs trous et se mettent à voler. Quand les oiseaux *papaya* se mettent à chanter pour attirer leurs partenaires, aux yeux des villageois, c'est certain, la pluie va bientôt tomber... Tout est signe de l'événement attendu : les moineaux qui se vautrent dans la poussière pour protéger leurs plumes des rayons ardents du soleil, le sifflement aigu du serpent qui se glisse dans un buisson, les corbeaux qui se mettent à voler en cercles bas. La vision des nuages inspire les villageois. Ils les implorent de leurs chants pour qu'ils déversent sur la terre leur cargaison d'eau. Voici ce que dit l'une de ces chansons, au Bengale :

Oh ! Mon nuage noir, ruisselle de tes eaux
Et qu'il te plaise de m'épouser, mon nuage noir
Que je puisse imprimer sur ton front la marque sacrée des épousailles
Oh ! Nuage de cendre, nuage de plomb, nuage d'argent,
Oh ! Nuage vermillon du mariage
Si tu ruisselles, tous les parapluies te récompenseront de tes faveurs,
Je les achèterai en vendant l'anneau d'or rivé dans ma narine ».

Lajpat Ray Jagga, écrivain et journaliste.

Le poids de la démographie

Avec plus de 846 millions d'habitants selon le dernier recensement décennal de 1991, l'Inde représente environ 16 % de la population mondiale. Un Asiatique sur trois est indien. La densité de population est particulièrement haute dans la vallée du Gange (500 hab/km^2 en Uttar Pradesh et au Bihar) et dans son delta (770 hab/km^2 au Bengale occidental), ainsi que dans certaines plaines côtières (750 hab/km^2 au Kérala et au Tamil Nadu). C'est dans ces régions que l'impression de multitude ou l'effet de foule est la plus forte. Cela n'est pas le cas dans de nombreuses autres régions, la densité moyenne du pays s'élevant seulement à 270 hab/km^2. Le pays atteindra le milliard d'habitants en l'an 2000 et pourrait dépasser la Chine en 2020. Depuis 1971, la croissance démographique est d'environ 2 % par an. Cela signifie, à titre approximatif, que la population de l'Inde croît actuellement d'environ 1 200 000 habitants par mois.

La grande raison de cet accroissement démographique réside dans la baisse spectaculaire du taux brut de mortalité. En 1930, il était de 40 ‰. Il chute à 27 ‰ à la fin des années 1940, à l'indépendance de l'Inde. Il passe à 17 ‰ à la fin des années 1960. Il passe en dessous de la barre des 10 ‰ au début des années 1990. La disparition des grandes famines récurrentes de l'ère coloniale (la dernière fauche plusieurs millions de personnes au Bengale en 1943), quoique les disettes subsistent aujourd'hui

Villes et population

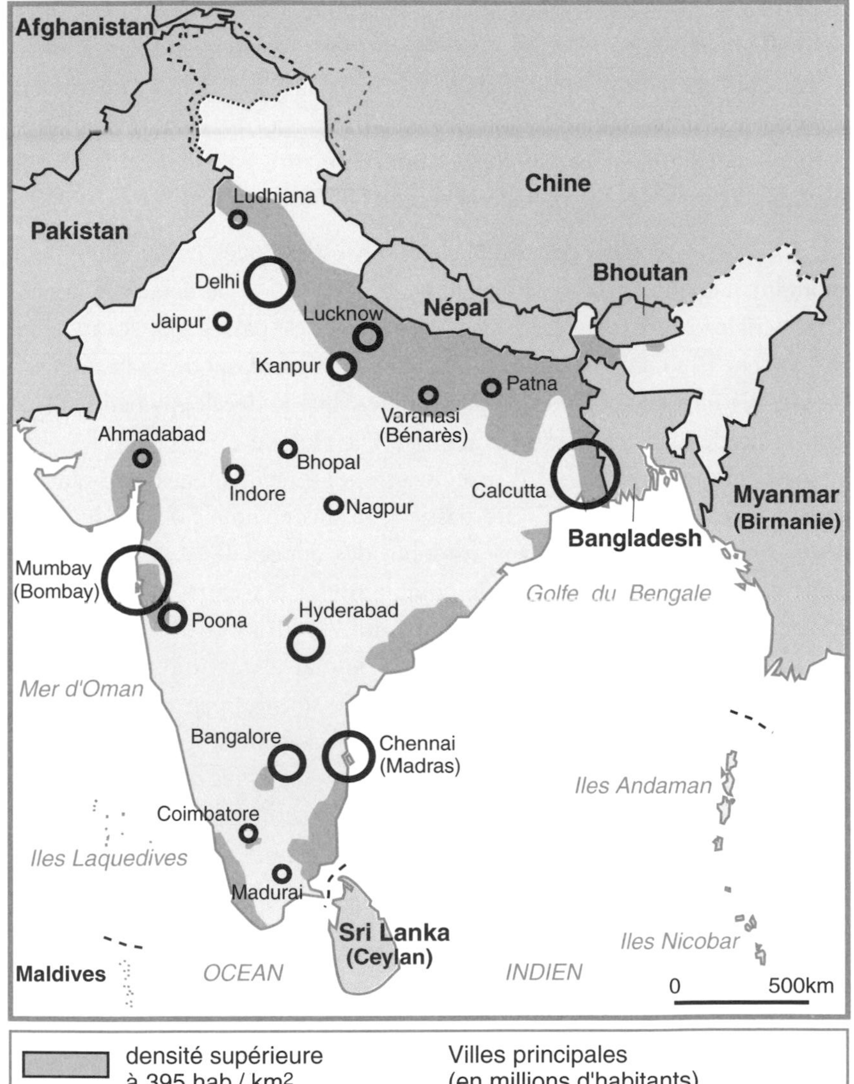

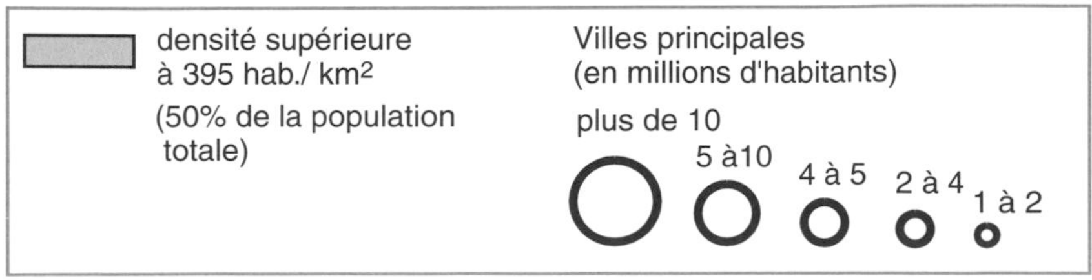

en Inde lors de grandes sécheresses, n'explique pas à elle seule ce phénomène. Celui-ci tient beaucoup à la politique de santé publique et de médecine préventive mise en place par l'Inde indépendante. De grandes campagnes d'éradication de maladies comme la variole, qui a quasiment disparu de l'Inde aujourd'hui, et du paludisme, qui parvient cependant à résister, ont été menées. De vastes opérations de vaccination contre le tétanos, la diphtérie et la poliomyélite ont été engagées.

L'ampleur des résultats atteints est indiquée par la chute de la mortalité infantile : celle-ci atteignait encore les 130 ‰ au début des années 1970 (contre 240 ‰ dans les années 1920) ; elle est passée à 80 ‰ au début des années 1990. D'où, d'ailleurs, l'augmentation fantastique de l'espérance de vie à la naissance en quelques décennies, que le développement du sida pourrait cependant venir affecter à terme. Elle était de 25 ans (pour les deux sexes confondus) au début du siècle et encore seulement de 31 ans au moment de l'indépendance. Elle passe à 46 ans environ pour la décennie 1961-1970 et à plus de 60 ans au début des années 1990. Si l'Inde reste donc encore un pays très jeune, le nombre de ses personnes âgées ne cesse d'augmenter en valeur absolue. Le jour viendra-t-il où le pays sera confronté, malgré la force de son tissu social et familial, à l'une des questions majeures des pays développés où le sort des personnes âgées est devenu un problème de société ? Quoiqu'il en soit, il est révélateur de voir ce thème apparaître dans un film indien récent, « Le Poids du coton » (*Rui ka bojh* en hindi), réalisé en 1998 par le jeune cinéaste Subhash Chand Agrawal. On y voit comment l'individualisme nouveau des enfants, en contradiction avec le respect des valeurs traditionnelles, peut les conduire à abandonner leurs parents âgés.

Le sida

Selon la *National AIDS Control Organization*, 10 millions de personnes seront infectées par le virus du sida en l'an 2000, et il y aura 2 millions de cas déclarés. En 1994, on évaluait déjà le nombre de personnes infectées par le sida à 1,74 million de personnes. Le premier cas identifié de sida a été détecté en 1986 dans l'hôpital de Vellore, au Tamil Nadu. L'opinion publique indienne a longtemps minimisé les dangers de cette maladie, à l'origine souvent perçue comme une maladie réservée aux Occidentaux. Une grande partie de la population ignore encore le sida ou en sous-estime les risques. La prostitution est son principal vecteur de propagation. D'après une étude récente réalisée parmi les étudiants des collèges de Bangalore (Karnataka), 70 % d'entre eux auraient eu leur première expérience sexuelle avec une prostituée. 40 % n'ont pas utilisé de *Nirodh*, une marque de préservatifs indiens utilisée en Inde comme un terme générique. Selon une autre étude récente, 12 % des conducteurs de camions empruntant les corridors de Bombay (Mumbay) ont des relations avec des prostituées. Un sondage effectué en 1995 dans treize Etats de l'Inde indique que la très grande majorité des femmes mariées n'a jamais entendu parler du sida. Ajoutons qu'on estime en Inde qu'un demi-million d'enfants (filles et garçons) sont victimes de la prostitution, que leur nombre s'accroît et qu'ils sont de plus en plus jeunes.

D'après les documents du séminaire de recherche organisé en 1997 avec le concours de l'Institut français de Pondicherry, le centre du CNRS Société, santé et développement de l'université de Bordeaux II, et de l'Agence nationale de recherche sur le Sida, publiés sous le titre *Of Research and Action* (éd. : Frédéric Bourdier) par l'Institut français de Pondicherry.

Dans le même temps, on observe depuis quelques années une baisse du taux de fécondité. En effet, l'indice synthétique de fécondité (l'ISF indique le nombre moyen d'enfants nés vivants par femme selon la fécondité du moment) chute de 5,2 enfants en 1971 à 3,7 enfants en 1991. On fait aujourd'hui presque quatre enfants par famille en milieu rural contre en moyenne un peu plus de deux enfants et demi en milieu urbain. Deux facteurs s'avèrent particulièrement propices à la baisse de ce taux. Le premier est lié au degré d'éducation des mères. L'ISF varie tout simplement du simple au double entre les femmes illettrées et celles qui ont un niveau d'éducation supérieure. Le problème, c'est que, malgré des progrès importants réalisés depuis l'indépendance, l'alphabétisation des femmes reste très en retard sur celle des hommes, en particulier dans les milieux sociaux les plus pauvres. Le second concerne la politique de contrôle des naissances. Ses effets sont loin d'être négligeables. Le gouvernement indien la favorise systématiquement dans les villes, les bourgades et les villages, à partir de centres gratuits, fixes ou itinérants, de planning familial. Sauf entre 1975 et 1977 où la politique de limitation des naissances se fit autoritaire et forcée, ce qui provoqua un profond ressentiment dans la population, il s'agit d'une politique souple, incitative et volontaire. Elle ne provoque pas de rejet de principe de la part des Indiens. Le grand écrivain de l'Inde du Sud de langue anglaise, Narayan, fait d'ailleurs de l'héroïne de l'un de ses romans (« Le Peintre d'enseignes », publié en 1976) une propagandiste assidue du planning familial. On estimait que 10 % des couples pratiquaient une méthode contraceptive en 1970. Ils seraient aujourd'hui environ 40 %.

Le ratio hommes/femmes

Par ailleurs, l'Inde est un des rares pays du monde où le ratio hommes/femmes est défavorable aux femmes. C'est l'un des indices les plus terribles de leur fragile situation. On compte en 1991 en Inde 929 femmes pour 1 000 hommes, ce qui signifie qu'il manque 29 millions de femmes pour que le rapport entre les sexes soit égal dans la population. Pourquoi ? En raison d'une surmortalité particulièrement nette à la campagne des petites filles et des jeunes adolescentes. Encore faut-il, pour analyser la situation, se débarrasser de mythes tenaces. Les résultats du recensement de 1991 indiquent que la mortalité infantile (enfants de moins de un an) est identique pour chaque sexe à la campagne et légèrement supérieur pour les garçons à la ville. Cela met à mal la légende selon laquelle l'Inde serait le pays des infanticides de petites filles. Cela était le cas au XIXe siècle, notamment en Inde du Nord et du Nord-Ouest. Cela n'est plus vrai aujourd'hui, même si des meurtres isolés peuvent se produire ici ou là. En revanche, notamment à la campagne, la mortalité féminine est plus forte que la mortalité masculine de 1 à 30 ans et, plus particulièrement encore, de 5 à 15 ans. Cette donnée recoupe nombre d'enquêtes hospitalières soulignant que les soins médicaux et la nourriture des petites filles sont toujours de qualité inférieure à ceux et celle dont bénéficient les petits garçons. Elle confirme également le coût que représente pour la vie des femmes la faible médicalisation de la maternité, surtout en zone rurale, et les risques encourus par la mère au moment de l'accouchement. En d'autres termes, l'Inde n'est pas un pays où l'on tue des nourrissons de sexe féminin, mais où l'on prête moins d'attention à la santé des filles qu'à celle des garçons. S'il était possible de déterminer à l'avance le sexe du fœtus, il est clair que le ratio hommes/femmes serait encore plus défavorable aux femmes qu'il ne l'est actuellement.

L'exemple du Kérala

« Les politiques sanitaires et médicales, peu coûteuses économiquement, mises en place à partir des années 1960 par les gouvernements communistes singularisent cet Etat. On y compte 259 lits d'hôpitaux pour 100 000 habitants (contre 77 pour le reste de l'Inde), dont 56 % en zone rurale (contre 18 % seulement dans l'ensemble des campagnes indiennes) ; aussi 78 % des naissances dans cet Etat se font-elles dans des dispensaires et 96 % en présence d'un personnel médical qualifié. Dans ces conditions, on comprend que le Kérala soit le seul Etat où l'on enregistre un excédent de 104 femmes pour 100 hommes dans l'ensemble de la population. Enfin, cette politique sanitaire a été accompagnée d'une politique tout aussi intense de diffusion des méthodes de contrôle des naissances dont ont bénéficié, en priorité, les générations postérieures à l'indépendance : en 1988, 58 % des couples pratiquent une méthode contraceptive contre 31 % pour l'ensemble de l'Inde ».

Roland Lardinois, *L'Inde contemporaine de 1950 à nos jours*, p. 311.

Famille et éducation

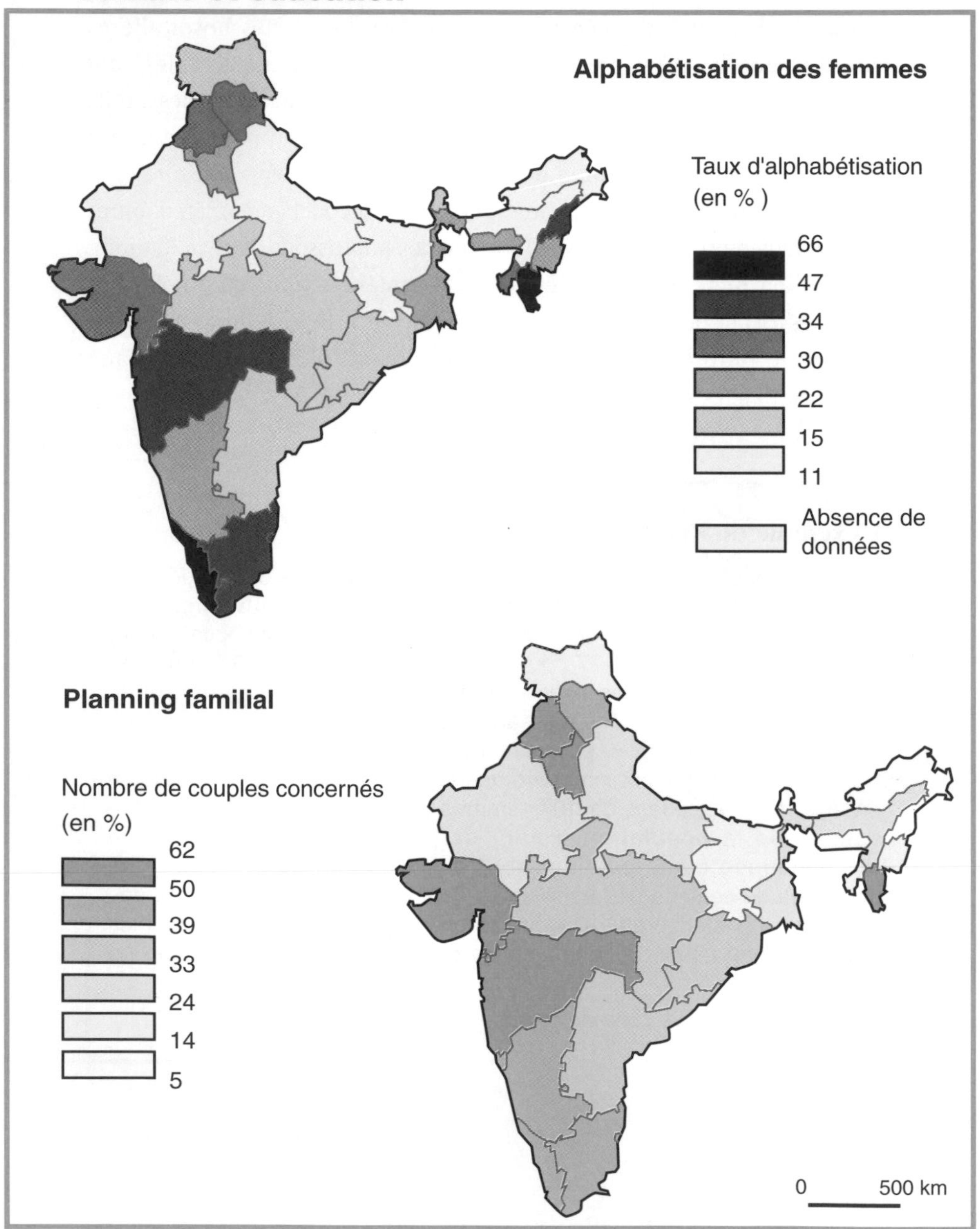

Au fond, politique de santé et politique scolaire semblent appelées à jouer un rôle essentiel dans l'évolution de la démographie indienne. Dans ces deux domaines, l'indépendance a permis à l'Inde d'accomplir de nets progrès. Mais ils sont tout de même très insuffisants. L'exemple de certains Etats, comme le Kérala, montre qu'on peut faire beaucoup mieux. Partout dans le pays, il existe des hôpitaux publics où les malades peuvent se faire soigner gratuitement. Mais l'infrastructure y est notoirement insuffisante, alors même que le personnel médical est très bien qualifié. Les riches préfèrent payer cher les services d'institutions privées pour se faire soigner. L'Inde a donc une médecine à deux vitesses.

Il en va de même en matière d'éducation. Tous les enfants de l'Inde ont accès à l'éducation. L'enseignement primaire et secondaire au premier niveau est en principe obligatoire. Mais on estime qu'environ seulement la moitié des enfants âgés de 6 à 14 ans fréquentent l'école, avec des variations notables selon les régions et les sexes. En pratique, les plus pauvres n'ont pas les moyens de s'éduquer de façon convenable. Les statistiques sont sur ce point cruelles. Seules les classes fortunées ont la possibilité, non seulement de faire poursuivre à leurs enfants une longue scolarité, mais encore de leur faire passer le baccalauréat dans d'excellentes institutions privées. L'Inde a hérité de la Grande-Bretagne le système des *public schools* (ces écoles dites « publiques », mais qui sont en fait privées). Elle parvient ainsi à former des cadres de très haut niveau, rivalisant avec ceux des pays les plus développés. Mais une grande partie de sa population vit dans l'ignorance et l'analphabétisme. En 1991, près d'un Indien sur deux est analphabète, 40 % des hommes et 60 % des femmes. Cela pèse sur le niveau général de la qualification de la main d'œuvre.

Cruelles statistiques

« En 1981, les taux d'alphabétisation masculine sont respectivement de 37,7 et 29,8 % pour les *scheduled castes** et les *scheduled tribes** (contre 62,7 % pour le reste de la population), mais ils ne sont que 13 et 9,6 % pour les femmes (contre 35,2 % pour le reste de la population). Si ces groupes démunis ont accès à l'éducation (99 % des enfants d'une même classe d'âge entrent à l'école primaire), ils se concentrent massivement (de 83 à 93 %) au niveau le plus bas du système d'enseignement et 50 à 65 % d'entre eux (pour les deux sexes) en sortent sans avoir suivi en entier le premier cycle d'études primaires ».

* Il s'agit des deux catégories les plus défavorisées de l'Inde, les basses castes et les tribus.

Roland Lardinois, *L'Inde contemporaine de 1950 à nos jours*, p. 309.

CHAPITRE 2

La genèse de l'Inde

Quels furent les premiers hommes à peupler ce qui est aujourd'hui devenu l'Inde ? Nul ne s'étonnera que la réponse demeure incertaine. Sur ce point, déjà, les paléo-anthropologues et les généticiens s'opposent, les premiers soulignant souvent contre les seconds la probabilité de premiers métissages humains sur le sol même de l'Inde entre d'une part les archanthropiens (pithécanthropes ou sinanthropes) issus peut-être des premières populations d'hominiens décelées à ce jour en Afrique, et d'autre part des représentants de l'*Homo sapiens sapiens*. Objet de la dispute : une calotte crânienne de type archanthropien découverte tout récemment dans la vallée de la rivière Narbada au nord-ouest du Dekkan. Elle est datée de 30 000 ans à 20 000 ans avant J.-C. Ce qui signifie que les archanthropiens, qui représentent pourtant une humanité beaucoup plus ancienne, ont survécu très longtemps dans le Sud de l'Asie. D'où le dilemme : se sont-ils, ou non, mélangés avec les *Homo sapiens sapiens* (venus eux aussi d'Afrique si on se base sur les découvertes faites à ce jour) ayant eux-mêmes succédé aux *Homo sapiens* (les néandertaliens) aux environs des 35 000 ans avant J.–C. ? Vertige des dates. Faiblesse des preuves. Reconstruction délicate des premières migrations humaines de continent à continent. Quoiqu'il en soit, l'histoire originelle de l'Inde commence par un débat sur le métissage. Elle ne fait donc que commencer... Mais retenons l'un de ses enseignements : très tôt, les groupes humains se mélangent de telle sorte que confondre race avec type physique, culture, religion et langue devient une aberration. Dès les origines, une seule et même race humaine, certes diversifiée en type humains distincts, enveloppe le globe. En Inde comme ailleurs, plusieurs peuples venus d'horizons différents parlent une même langue ou un même corps de langues parce qu'ils vivent dans le même espace. La notion de peuple est donc intimement liée à la langue : c'est en ce sens qu'elle est utilisée ici.

Le métissage des origines

La plupart des spécialistes admettent que les « premiers » habitants de l'Inde furent, d'une part les ancêtres des peuples de langue dravidienne vivant aujourd'hui principalement au Sud de l'Inde, venus recouvrir un fond plus ancien encore de populations dites « vedhoïdes », et d'autre part des peuples parlant les langues munda venus, eux, d'Asie orientale. Certaines populations tribales d'aujourd'hui, vivant notamment au Nord-Est de l'Inde, seraient les principales héritières de ce dernier groupe qui aurait, à un moment donné, recouvert une bonne partie du Nord de l'Inde. Le groupe le plus récent est constitué par les peuples de langue indo-aryenne. C'est lui qui est à l'origine directe des principaux traits de la civilisation hindoue actuelle.

Qui sont les Indo-Aryens ?

En combinant les données fournies par les fouilles archéologiques, les recherches linguistiques, l'analyse comparée des mythologies et la paléo-ethnologie, les hypothèses les plus vraisemblables conduisent à remonter à la formation d'une civilisation dite « culture des Charpentes » dans le Sud des plaines russes. L'une de ses branches aurait par migration donné naissance à la « culture d'Andronovo », à l'origine de la vieille civilisation indo-iranienne, recouverte aujourd'hui par d'autres sédiments culturels. L'une des autres branches, non sans maintenir des relations avec la précédente, aurait donné naissance à la « culture de Bactriane » située en Asie centrale. C'est cette dernière qui engendre la civilisation indo-aryenne. Elle commence à se déplacer à la fin du IIIe millénaire et au début du IIe millénaire avant J.-C. vers les espaces constitués aujourd'hui par une partie de la Turkménie, de l'Iran, de l'Afghanistan et du Pakistan. Elle contribue à « faire tomber » aux environs de 1 800 ans avant J.-C. la civilisation de l'Indus dont les principaux sites archéologiques (Harappa et Mohenjo-Daro) sont situés au Pakistan. Le sanscrit, la langue indo-aryenne, se répand alors dans le Nord de l'Inde. L'hindi en est directement issu. De nouvelles traditions orales et de nouveaux textes se répandent dans le sous-continent. Les plus anciens sont constitués par les *Veda*. Une nouvelle vision du monde se fait jour, dont l'un des fleurons est le système des castes.

Ce processus historique, encore mal connu dans maints de ses aspects, appelle au moins deux remarques. La première porte sur le sens qu'il convient de donner au mot aryen (« noble » en sanscrit). Chacun connaît le sens raciste donné en Europe par les nazis à ce mot. Ils firent de « l'Aryen » l'archétype de la sinistre « belle brute blonde aux yeux bleus » censée représenter l'humanité supérieure, même si le porte-parole autoproclamé de cette mascarade théorique fut un petit homme à frange brune portant une moustache noire. Rien, évidemment, ne correspond moins à la réalité que cette définition du mot aryen. Car il n'existe pas de « peuple aryen » au sens ethnique du terme, pas plus qu'il n'existe de « peuple francophone » en ce sens. Les Indo-Aryens, mélange de plusieurs peuples ayant vécu à un moment donné de l'histoire dans une partie du monde qui recouvrirait *grosso modo* aujourd'hui une partie de l'Iran, du Sud de l'ex-URSS et de l'Afghanistan, constituent un groupe humain parlant un seul et même type de langue. Les idéologues du mouvement nationaliste hindou actuel, situés à la droite et à l'extrême-droite de l'échiquier politique, font également référence à « la race » quand ils convoquent à l'appui de leurs thèses le passé indo-aryen de l'Inde. « La race aryenne, écrit l'un d'entre eux (B. Madhok) en 1969, occupe la place d'une race mère » dans la formation de l'Inde. L'argument vise essentiellement à dénoncer les quelque 120 millions de musulmans de l'Inde comme autant d'éléments situés hors du creuset national dès lors que leur religion les rend étrangers, selon les nationalistes hindous, à « l'esprit de race » de la civilisation indo-aryenne. La puissance évocatrice du thème illustre le syndrome identitaire « travaillant » actuellement une partie de la communauté hindoue, qui trouve dans la minorité musulmane un bouc émissaire pour expliquer ses difficultés présentes.

Les *Veda*

Les *Veda* sont censés émaner d'un Absolu divin se communiquant librement à l'homme. Les *Veda* (le « Savoir » ou « la Connaissance sacrée »), conçus comme ayant été exhalés par l'Absolu (le *brahman*) au commencement du monde (en vérité lors de chaque re-création cyclique du monde), auraient été captés par les Sages qui les auraient ensuite transmis jusqu'à nous. Les *Veda* sont littéralement ce qui a été ouï par les Sages. Ils se présentent donc sous la forme d'une parole sacrée et non d'un texte écrit, même si les mots entendus ont par la suite été consignés. Ils constituent les textes de la *Sruti* (l'audition). L'hindouisme, religion sans fondateur, n'est donc pas à proprement parler une religion « révélée » ou une « religion du Livre ».

Les historiens estiment généralement que la première série de textes des *Veda*, les *Sanhita* (ou « Recueils »), aurait pris forme entre les xve et xe siècles avant J.-C. La dernière, constituée par les *Upanishad*, s'étalerait de 800 ans à 300 ans avant J.-C. Viennent ensuite, par opposition aux textes de la *Sruti*, mais en se chevauchant parfois avec les précédents, les textes de la *Smirti*, c'est-à-dire de la Tradition confiée à la mémoire, parmi lesquels figurent notamment les grandes épopées du *Ramayana* et du *Mahabharata*, dont la composition s'étend sur plusieurs siècles. Se développent enfin, à la fin du premier millénaire de notre ère, de nouveaux textes rituels et ésotériques comme les *Tantra*, qui contribuent eux aussi à forger l'hindouisme d'aujourd'hui.

D'après Michel Hulin et Laksmi Kapani, *Le Fait religieux*, p. 351 et suiv.

Un long continuum historique

La seconde remarque porte sur le long continuum historique liant l'Inde d'aujourd'hui à ses lointaines racines culturelles.

Certes, le phénomène ne saurait être interprété de façon linéaire. Il existe des ruptures entre les visions du monde contenues dans les *Veda* et celles de l'Inde hindoue d'aujourd'hui. Par exemple, l'obsession de l'Inde védique pour le sacrifice cède le pas devant l'obsession de l'Inde post-védique pour les notions de pureté et d'impureté. Et les découvertes archéologiques conduisent à penser que les civilisations pré-aryennes de l'Inde ont joué un rôle plus important qu'on ne le pense généralement dans la civilisation indienne d'aujourd'hui. Il en va ainsi de la très brillante et urbaine civilisation de l'Indus, dont on ne sait toujours pas pourquoi elle s'est si vite effondrée devant la poussée indo-aryenne. Divers chercheurs y décèlent des objets et des représentations pré-shivaïstes, Shiva étant aujourd'hui l'un des dieux les plus importants du panthéon indien.

Mais il n'empêche que le pays entretient quand même avec son passé un lien très intime que plus de trois mille ans d'histoire ne sont pas parvenus à interrompre. C'est cela l'essentiel. Il est tout de même extraordinairement valorisant pour un pays de pouvoir se rattacher consciemment à des racines vieilles de plusieurs millénaires et relativement intactes. La Grèce moderne a rompu pour l'essentiel ses attaches avec la Grèce antique, tout comme l'Egypte contemporaine qui, tout en sachant qu'elle plonge ses lointaines racines dans l'Egypte pharaonique, vit son histoire passée comme une antiquité. L'Inde, elle, ne vit pas encore son passé hindou comme tel. Les dieux qu'elle invoque à l'aube du troisième millénaire ont toujours un rapport direct avec ceux qu'elle vénérait à l'époque védique. Les rites qu'elle accomplit, les gestes de ses fidèles dans les temples, voire leur façon de se vêtir et de manger, conservent l'empreinte des millénaires écoulés. Pour un Européen, serait-il grec, la Vénus de Milo n'est plus qu'une statue, une œuvre d'art contemplée dans un musée. En Inde, on peut voir des paysans, visitant le musée d'une bourgade de province à l'occasion d'un périple touristique, joindre les mains en signe de respect devant de vieilles divinités dûment exposées dans leurs vitrines : ce sont les mêmes que celles devant lesquelles ils se recueillent quotidiennement dans leurs temples. Fabuleux télescopage du passé et du présent pour un pays qui n'a pas encore rangé son histoire la plus ancienne au musée symbolique des accessoires culturels.

Les effets d'un tel phénomène sont perceptibles à tous les niveaux de la vie politique indienne. Cela contribue à conférer au pays une très forte cohésion sociale, faite de références identiques ressenties comme telles par l'immense majorité de la population. Les dirigeants du mouvement nationaliste hindou jouent précisément sur cette réalité pour avancer leurs pions sur l'échiquier politique. A leurs yeux, ce n'est pas tant l'appartenance à un Etat qui fait que les habitants de l'Inde sont des Indiens, que le fait d'appartenir à un ensemble social dont le trait spécifique est l'« hindouité ». La nation indienne daterait de l'époque védique. Aussi vieille que l'imaginaire hindou peut la reconstituer, elle résulterait de sa capacité à n'avoir jamais « oublié son âme ». Le très laïc Premier ministre de l'Inde lui-même, Jawaharlal Nehru, lorsqu'il s'interroge sur la « complexe et mystérieuse personnalité de l'Inde », l'explique lui aussi par le fait que l'Inde n'a vu à aucun moment le fil de son histoire se rompre au cours des derniers millénaires. L'émotion avec laquelle il va au-devant de son pays pour, de meetings en meetings, le convaincre de rejoindre la lutte d'indépendance nationale transpire de ses écrits. On ressent chez lui un réel plaisir à voir des paysans incultes pouvoir instantanément le comprendre quand il s'adresse à eux. Nehru est pourtant un intellectuel urbain riche, raffiné et anglicisé, qui vit à des années-lumière de la plupart des gens misérables auxquels il s'adresse alors. Lui et eux n'en manient pas moins les mêmes images, les mêmes symboles, tirés des mêmes épopées et des mêmes mythes.

On touche là l'une des raisons de la bonne écoute dont bénéficient les élites politiques indiennes de la part des masses les plus pauvres durant toute la période du mouvement d'indépendance nationale et les premières décennies de l'Inde indépendante. Certes, un océan sépare les premières des secondes en termes de niveau de vie et de connaissances. Certes, l'immense majorité du pays est totalement analphabète. Certes, l'intelligentsia indienne vit au diapason des pays les plus développés. Mais les riches comme les pauvres, les dirigeants comme les dirigés, les dominants comme les dominés, les citadins comme les ruraux partagent les mêmes idiomes culturels, connaissent les mêmes « histoires », vivent dans le même système de castes dont ils adoptent en pratique les mêmes codes. Cela tisse entre eux, comme entre les divers groupes et communautés de l'Inde, des complicités et des affinités qui sont à l'origine de la très forte cohésion de la société indienne. Cela crée une sorte de consensus socio-culturel de base qui, par delà les énormes diversités qui caractérisent un pays taillé à l'échelle d'un sous-continent, lui permet de « tenir ensemble ».

La civilisation indo-européenne

Le fait que l'Inde soit le seul pays sur terre dont la culture et la religion prolongent, sans coupure majeure, l'ancienne culture indo-européenne ouvre des perspectives passionnantes pour la connaissance des cultures européennes d'aujourd'hui. Il suffit, pour ainsi dire, de bien situer le fil des cultures indiennes, indo-aryennes et indo-européennes pour comprendre les nombreuses correspondances culturelles existant entre l'Inde et l'Europe. Celles-ci font ressortir l'existence, il y a quelque 5 000 ans, d'une matrice commune aux cultures de ces deux mondes. C'est ce qu'on appelle la civilisation indo-européenne. Elle se laisse nettement percevoir dans le domaine linguistique. Elle est aussi à l'origine d'une approche similaire de la représentation du monde, dont le savant français Georges Dumézil fut l'un des premiers à révéler les clés. Sa découverte majeure concerne ce qu'il appela la « tripartition fonctionnelle ». Dumézil en découvre l'existence en comparant la structure des anciens mythes et cultes indiens, iraniens et ossètes (les Ossètes étant un peuple du Caucase descendant des anciens Scythes) avec celle des mythes et des cultes de la Rome antique. Disons, pour faire simple, que leur structure révèle une seule et même façon indo-européenne d'analyser le monde. On connaît la fameuse distinction du monde chinois entre le *yin* et le *yang*. Dans la philosophie taoïste, ces deux principes fondamentaux et complémentaires correspondent approximativement aux notions respectives de passivité et d'activité. En découlent, par exemple, les « principes » de féminité et de masculinité. La « tripartition fonctionnelle », c'est un peu la même chose, à cette différence près que dans le monde indo-européen, les choses ne vont pas par deux, mais par trois. C'est en effet la division en trois qui permet à cette civilisation de se figurer le monde et de l'analyser dans ses différents aspects. Elle se manifeste par exemple dans l'organisation en trilogie des panthéons.

Le monde en trois

Trois types de pôles, montre G. Dumézil, président à l'ordre du monde dans les cultures indo-européennes : le premier symbolise la puissance de l'esprit, le second la force physique, le troisième la puissance du nombre, associée avec la production, la quantité, la fécondité. Dans la Rome antique, trois prêtres (dits « flamines majeurs ») se consacrent au culte de Jupiter, le dieu de la souveraineté magico-religieuse, au culte de Mars, le dieu de la guerre, et à celui de Quirinus, le dieu des rituels agraires. De même, dans l'Inde védique, trois castes servent fondamentalement à figurer cette représentation du monde en trois : la caste des *brahmanes* (les prêtres), celle des *kshatriyas* (guerriers) et celle des *vaishyas* (producteurs). Le nom du dieu romain Quirinus constitue lui-même tout un symbole. Sa racine latine, *co-viri-no*, signifie « celui qui préside à l'ensemble des hommes ». Or le nom des *vaishyas* est lui-même issu du mot *vish*, qui signifie « clan » et désigne cette troisième catégorie sociale sous l'angle de la communauté humaine. Guère étonnant, par conséquent, que Quirinus soit un dieu agraire. Ni, non plus, que la racine *vish* (qui donne *vicus* – bourg, quartier – en latin, d'où dérive notre « vicinal » français) soit le type même de mot indo-européen qu'on retrouve dans le gothique *weihs* (« village ») ou le vieux slave *visi* (également « village »). Preuve par là même qu'il exista bel et bien à un moment donné de l'histoire une seule et même plaque civilisatrice indo-européenne dont les cultures de l'Europe et de l'Inde d'aujourd'hui sont issues.

On comprend, dès lors, la fascination que les Européens les plus cultivés éprouvent pour l'Inde à partir du moment où, au cours du XIXe siècle, ils commencent à pressentir l'importance des études indiennes pour la compréhension de leur propre pays.

Il ne s'agit pas seulement, comme pour les savants qui découvrent, émerveillés, la civilisation pharaonique lors de la campagne de Napoléon en Egypte, d'aller à la rencontre d'un autre monde, riche et fabuleux. Plus extraordinaire encore, il s'agit d'aller à la rencontre de ses propres racines. Cela n'est évidemment pas sans conséquence pour l'Inde qui, quoique durement dominée par Londres, fait office de miroir pour la civilisation occidentale. Une situation par certains côtés enviable pour les

Indiens, qui se retrouvent dans la position de colonisés que les colonisateurs en viennent à considérer comme leurs ancêtres sur le plan culturel. Cette posture ne peut que conforter les élites indiennes dans la valeur de leur culture et aux yeux de leur propre peuple.

Dans le même temps, la grande tradition des études orientalistes qui se met en place dans les pays occidentaux tend à faire de l'Orient indien un monde « à part », qu'il s'agit d'analyser comme tel pour mieux en percer les secrets. Le cadre colonialiste dans lequel l'Orientalisme se développe ne peut qu'accroître davantage le caractère d'altérité du nouvel espace culturel ainsi analysé. Fascinante mais « autre », l'Inde nourrit désormais les phantasmes de l'altérité absolue dont est porteur l'imaginaire occidental à son égard. L'Inde est un Autre absolu dans lequel l'Occident apprend à se mirer. « L'Inde, c'est l'Autre », dira un jour le cinéaste Louis Malle, paraphrasant André Malraux. Des générations d'intellectuels s'engouffreront dans la brèche, bientôt suivies par des générations de touristes. L'Inde, c'est la Sagesse, la Spiritualité, par opposition à l'Occident du Matérialisme (le tout, bien entendu, toujours en lettres majuscules). L'intérêt d'une telle dichotomie ne passera évidemment pas inaperçu et certains, en Inde, feront littéralement profession de « sagesse » et de « spiritualité » dans un but lucratif, leur action tout entière tournée vers ces douces cohortes occidentales prêtes à « redécouvrir leur âme » ou à se « ressourcer » dans des lieux de méditation leur étant généreusement ouverts, les *ashram*. Sans aller jusqu'à cet extrême, une partie de l'Inde sera appelée comme à se replier sur « ses » valeurs tandis qu'une partie de l'Occident sera conduite à ne voir en ce pays que « culture » et « civilisation », au détriment du développement des relations économiques et commerciales. Certes, nombre d'Indiens et d'Occidentaux n'entrent pas dans ces schémas. Le Mahatma Gandhi lui-même, contrairement à l'image que certains en ont, n'opposa jamais terme à terme l'Orient et l'Occident mais passa une partie de sa vie à condamner les ravages que la civilisation matérialiste et industrielle occasionnait, selon lui, en Inde tout comme en Occident. Mais l'opposition des paradigmes Occident et Orient devint ainsi, paradoxalement, le produit du choc entre deux civilisations dont toutes les recherches conduisent pourtant à mettre l'accent sur les consonances réciproques plutôt que sur les dissemblances, même si, et personne le niera, l'Inde présente au monde le visage d'un pays unique en son genre.

Correspondances linguistiques entre le français et le hindi

« Une langue où « je », « moi », se dit mai, « tu » tum, « deux » do, « sept » sat, « neuf » nau, « dix » das, présente avec le français des ressemblances qui intriguent et qui ne peuvent être de simples coïncidences. On sait quelle est l'explication : le hindi, comme d'autres langues de l'Inde du Nord (...) est « issu » du sanscrit, à peu près de la même manière que le français et les autres langues romanes sont « issus » du latin. Or le sanscrit d'une part, le latin de l'autre (et aussi le grec, les langues germaniques, les langues slaves, les langues iraniennes) sont eux-mêmes les transformations d'une même langue commune, hypothétique, nommée par les linguistes « indo-européen ». Les ressemblances entre les mots français et hindi que nous venons de mentionner sont les traces de ce lointain cousinage. D'autres similitudes résultent d'un cheminement plus complexe. Pour dire « homme », « membre de l'espèce humaine », le hindi dispose de plusieurs mots ; les plus usuels sont *admi* et *manushya* ; *admi* nous fait irrésistiblement penser à Adam : à juste titre, puisque *adam* en hébreu signifie « homme », et que *admi* en arabe (autre langue sémitique) est un adjectif signifiant « humain » ; *admi* est passé en persan [en Inde] (...). Quant à *manushya*, c'est un mot sanscrit conservé tel quel en hindi. Il est lui-même dérivé de *manu*, « homme », qui provient évidemment du radical indo-européen d'où sont issus d'autre part l'anglais *man*, et l'allemand *Mann*. Mais le hindi *manushya* est aussi passé, presque sans altération dans le français « manouche » : c'est le mot par lequel les tsiganes se désignent eux-mêmes comme les « hommes» par excellence ; or le tsigane (...) provient lui-même d'une langue du Nord-Ouest de l'Inde, proche parente du hindi».

Charles Malamoud, préface à *La Méthode d'apprentissage du hindi*, Assimil, 1994.

CHAPITRE 3

La cohésion de la société

De très nombreux facteurs contribuent à l'unité de l'Inde, liés à l'histoire, à la politique, ou à l'économie. Mais, au niveau de la société, c'est l'hindouisme qui contribue le plus au sentiment qu'ont les Indiens d'appartenir à un même monde, le seul de son type sur la planète. C'est un sentiment à la fois diffus et bien réel qui transcende toutes les religions. Les minorités religieuses n'échappent jamais totalement au mode de pensée hindoue, même si elles maintiennent leurs spécificités et leurs identités propres. Le phénomène, fondamentalement, procède de la nature de l'hindouisme : ce n'est pas tant une religion au sens strict du terme qu'un mode d'action et de représentation du monde à la fois si précis et si éclectique qu'il permet d'englober les différences, sans pourtant les nier. C'est ce qu'on va tenter d'expliquer ici.

La rumeur rurale

Non sans souligner, d'entrée de jeu que, si l'hindouisme est tellement prégnant dans la société, il le doit en grande partie à l'importance du monde rural. A l'indépendance, en 1947, 85 % de la population de l'Inde vivait de l'agriculture. Il en va encore aujourd'hui pour quelque 70 % de ses habitants. Cette permanence de la domination rurale sur les villes compte évidemment beaucoup dans le façonnement des habitudes de vie. Certes le monde urbain, vecteur privilégié de la culture occidentale en Inde, existe depuis longtemps. Mais il ne vit pas en isolat dans son propre pays. Le poids paysan, la rumeur rurale s'y font en permanence entendre. Prenons, par exemple, le cas des immenses bidonvilles qui envahissent toutes les grandes villes indiennes, comme à Bombay. Certains se sont « institutionnalisés » et abritent des familles appartenant aux couches moyennes qui ne peuvent payer les loyers exorbitants du centre de la cité. D'autres, les plus nombreux, ne cessent de se constituer à la périphérie ou le long des grands axes menant au cœur de la ville. La plupart des nouveaux arrivants s'installent dans des quartiers déjà dominés par des habitants de leurs villages ou de leurs districts. A New Delhi, jusqu'à ces dernières années, de vrais villages faits de huttes maillaient le paysage citadin. Dans certains, se concentrait la main d'œuvre d'origine rurale participant aux grands travaux de modernisation de la ville. La campagne à la ville : c'est un peu le modèle du patchwork urbain en Inde.

Prenons, autre exemple, l'univers de la domesticité en Inde. Sans grande exagération, on pourrait soutenir que le monde urbain indien abrite deux grandes catégories d'habitants, ceux qui *ont* des domestiques et ceux qui *sont* domestiques. Le très faible coût de la main d'œuvre et le très bas niveau de mécanisation des travaux d'intérieur (très peu de machines à laver le linge et la vaisselle, très peu d'aspirateurs...) font du domestique un personnage omniprésent dans le paysage urbain. De surcroît, de nombreuses tâches domestiques sont assurées par des gens de castes différentes. Le blanchisseur (*dhobi*) sera bien souvent distinct du « balayeur » ou du « nettoyeur » (*zamadar*), cette dernière occupation faisant elle-même parfois l'objet de deux « professions », celle du nettoyeur en contact avec le sec (le « passeur de balai », l'« épousseteur ») et celle du nettoyeur en contact avec l'humide (le « passeur de serpillière », le « vidangeur »). Tout cela ne fait que renforcer le nombre nécessaire de domestiques pour ceux qui les emploient et, pour les domestiques, la possibilité de trouver un emploi. De telle sorte que ces derniers, assistés par leurs enfants très souvent non rétribués, constituent une masse considérable de personnes. Venant pour la plupart des campagnes ou gardant avec leurs villages d'origine des liens très étroits, ils forment une population, certes urbaine, mais fondamentalement attachée aux valeurs du monde rural. Les maîtres vivent inévitablement sous leurs regards. Nombre de familles de domestiques vivent d'ailleurs juste derrière la maison de leurs employeurs, à laquelle leurs *quarters* ou leurs masures sont adossés. Et il existe un va-et-vient quotidien des premiers vers les seconds, dans le cadre de leur labeur mais aussi de leurs distractions : les employeurs peuvent autoriser leurs domestiques, notamment les enfants, à regarder la télévision en s'installant par terre dans un coin de la pièce. Dans ces conditions, comment le monde urbain ne pourrait-il pas subir constamment le poids ou la pression des valeurs paysannes qui, quotidiennement, les jugent et les jaugent ? Or quel est le pain quotidien de ces valeurs, sinon celles de la famille, du clan, de la caste, bref du groupe au détriment de l'individu ? Tout maître qui se respecte, aussi citadin soit-il, ne peut donc qu'en tenir compte et s'en laisser imprégner. La domination du monde rural sur celui des villes est l'un des grands facteurs de la pérennité des valeurs traditionnelles de la société indienne, au premier chef le système des castes.

Le système des castes

Il est difficile à comprendre pour un esprit cartésien. D'une part, parce que, une fois qu'on en a énuméré les catégories, on s'aperçoit que la pratique ne correspond pas à la théorie, tellement il est de cas particuliers. D'autre part, parce que le système est en pleine évolution et que toutes les définitions changent. C'est en fait seulement en vivant longtemps en Inde qu'on peut réellement comprendre sa réalité. Tout le problème vient de l'étranger européen. Car ce sont les Européens qui, lorsqu'ils sont arrivés en Inde, ont cherché à codifier, à organiser, à catégoriser, à recenser à leur manière un système pour le faire correspondre à leurs propres codes. Par exemple, le mot « caste » est un mot inventé de toutes pièces par les Portugais (*casta*). Les Indiens, eux, avaient et ont toujours d'autres mots pour définir leur propre système. Mais comme le mot « caste » s'est également imposé sur tout le territoire, ils l'utilisent aussi. Ce qui aggrave la confusion. On va tenter de la corriger en s'en tenant au vocabulaire indien et en soulignant l'ampleur des évolutions en cours.

Le mot caste recouvre en réalité deux notions différentes, celle de *varna* et celle de *jati*. Les *varna* (un mot signifiant « couleur » en sanscrit) sont au nombre de quatre. Au sommet de la hiérarchie, il y en a trois, les trois grandes catégories du système védique. Ce sont les *varna* considérées comme « pures ». En bas de l'échelle, il y en a une quatrième, la *varna* des « impurs ». L'un des mythes fondateurs des *Veda* donne la clé de cette répartition. Aujourd'hui, on repère assez souvent – bien que cette méthode ne soit pas infaillible – l'origine de caste des familles aux noms qu'elles portent.

Le mythe originel des quatre *varna*

Les quatre *varna* sont nées du démembrement sacrificiel de l'homme cosmique. Le *brahmane* est né de sa bouche. A lui de porter aux hommes la Connaissance et de faire les rites. C'est donc celui qui sait, le prêtre. Le *kshatrya* est né de ses épaules et de ses bras. A lui de combattre. C'est donc le guerrier. Le *vaishya* est né de ses cuisses. A lui de produire. C'est le producteur. De ses pieds est né le *shudra*. C'est l'impur, qui doit servir les autres. C'est le serviteur.

La première *varna* est celle des brahmanes. A l'origine, ce sont les prêtres. Ce n'est plus le cas aujourd'hui. Nombre de brahmanes sont des paysans, « comme tout le monde », serait-on tenté de dire. Mais il est vrai que les familles appartenant à cette *varna* sont encore considérées, ou se considèrent, comme plus « pure » que les autres. Il en découle deux conséquences pratiques : seuls des brahmanes peuvent faire office de prêtres, lors des mariages ou des décès, par exemple ; et nombre de familles brahmanes demeurent par tradition végétariennes, le fait de manger « du vivant » étant un signe d'impureté. Cela dit, les brahmanes exercent en pratique nombre de métiers. Il est vrai qu'on n'en voit guère dans les professions les plus impures, comme celles des vidangeurs ou des tanneurs (en contact avec la peau animale) ; et qu'on ne s'étonne pas, en revanche, de croiser nombre d'intellectuels d'origine brahmane. Les *kshatrya*, quant à eux, constituent une *varna* très floue, sauf dans certaines régions. Nombre d'entre eux ne sont plus des « guerriers » depuis belle lurette. Comme elle est mal définie, il n'est pas rare de voir maintes familles de la plus basse *varna* s'inventer des ancêtres « guerriers » pour chercher à monter dans l'échelle des *varna*. La *varna* des *vaishya* est devenue avec le temps celle des commerçants. Beaucoup restent attachés à des traditions végétariennes, notamment dans l'Ouest de l'Inde. Il va sans dire que tous les *vaishyas* ne sont pas des commerçants et que bien des commerçant ne sont pas *vaishya*. Les *shudra*, enfin, constituent le reste de la population, c'est-à-dire la très grande majorité des Indiens. Ce sont donc massivement des paysans et des artisans. Théoriquement, ce devrait être des « intouchables », c'est-à-dire des gens impurs susceptibles de « polluer » les membres des trois *varna* supérieures. En pratique, l'Inde a secrété avec le temps une cinquième catégorie, encore plus basse que celle des *shudra* qui, eux, sont considérés comme les réels « intouchables » (ou « hors-castes »). Ajoutons que les populations tribales de l'Inde, les tribus, sont souvent assimilées à cette dernière catégorie, même si elles conservent leur spécificité et si certaines d'entre elles ont un passé guerrier glorieux. Seule, la connaissance de la réalité locale peut permettre de savoir où sont rangés au yeux de la communauté les uns et les autres. Cette réalité concerne avant tout les *jati.*

Chaque région, chaque district, chaque village, possède en effet ses *jati*. Celles-ci forment en quelque sorte une subdivision à l'intérieur des *varna*, même s'il est parfois difficile (et inutile) de savoir à quelle *varna* appartiennent telles ou telles *jati*. Ce qui définit en pratique la *jati* n'est pas affaire de pureté et d'impureté (encore que ces notions ne soient jamais totalement absentes), mais affaire de terres. La *jati* dominante, dans sa région ou dans son village, sera généralement celle qui possède le plus de terres et sait le mieux la faire fructifier. La place de chaque famille sur l'échelle des *jati* repose donc en dernier ressort sur des facteurs socio-économiques. Les « intouchables », eux-mêmes divisés en *jati*, sont en majeure partie des ouvriers agricoles, des artisans misérables, des domestiques, même s'il existe, ici ou là, des « intouchables » qui parviennent à constituer des *jati* dominantes. Les tribus connaissent également des *jati*. L'élément essentiel de la pérennité du système est la pratique du mariage endogame à l'intérieur de chaque *jati*, étant entendu qu'une femme issue d'une *jati* pauvre mais d'un statut symbolique important pourra, si les conditions s'y prêtent, trouver un mari parmi une *jati* plus riche mais d'un statut symbolique plus bas. Chacun cherchera alors à y trouver son compte en montant dans l'échelle sociale. Le système des *jati* concerne toute la population indienne, y compris en pratique les communautés non hindoues, telles les communautés musulmanes, sikhes ou chrétiennes. Dans la mesure où, à la campagne, presque personne n'y échappe, il a un effet intégrateur au plan national : les familles, coulées dans l'univers des *jati*, acceptent en pratique les normes du système qui dicte leurs conduites.

A combien évalue-t-on aujourd'hui le nombre de gens appartenant à des *varna* et à des *jati ?* Le dernier recensement de la population en terme de castes remonte à 1931, sous l'Empire britannique. Il indique que les trois plus hautes *varna* représentaient à l'époque moins de 13 % de la population (6,4 % pour les brahmanes, 3,7 % pour la principale catégorie des *kshatrya* – les *rajput* -, 2,7 % pour celle des commerçants – les *banya*). Les « intouchables » représentaient 15 % de la population, et les populations tribales 7 %. La catégorie de ceux qu'on pourrait ranger surtout parmi les *shudra* pourrait être évalué à 52 %. Les nouvelles nomenclatures en usage conduisent l'Inde à conserver ces chiffres, mais en les rapportant à de nouvelles distinctions. Dans la Constitution, les « intouchables » sont devenus les « *scheduled castes* », autrement dit les « castes répertoriées » par l'administration des Etats qui cherchent à savoir quelles sont les communautés qui peuvent bénéficier d'une politique de quotas dans le domaine de l'administration publique, tout comme les populations tribales sont devenues les « *scheduled tribes* ». L'immense partie des *jati* paysannes les plus défavorisées (les 52 % de la population) sont officiellement

Surréalisme

L'Inde indépendante n'« interdit » pas le système des castes (comment pourrait-elle le faire, puisqu'il s'agit à la fois d'une croyance et d'une pratique sociale ?). Elle interdit en revanche les discriminations dont sont victimes les « intouchables ». Mais comme elle se refuse à donner au système des castes une reconnaissance officielle, elle se refuse à conduire des recensements sur une base de caste. En même temps, on est bien obligé de tenir compte des castes pour conduire une politique de discrimination positive en faveur des « intouchables », ce qui est prévu par la Constitution. La Constitution se contente donc de parler de « castes répertoriées » pour évoquer la question. Et on se contente de s'en remettre au dernier recensement de... 1931 pour apprécier leur importance. On nage ainsi en plein surréalisme et en pleine imprécision.

répertoriées sous le nom de « *other backward classes* » ou OBC, c'est-à-dire d'« autres classes arriérées », ce qui en Inde n'est pas péjoratif. On notera que le mot de « classe » s'est ici substitué à celui de « caste ». Ce glissement sémantique est à lui seul tout un symbole : il montre combien les notions de pureté et d'impureté, à la base des représentations classiques du monde hindou, tendent aujourd'hui à perdre de leur importance (même si les familles de telle ou telle *jati* essayent encore de progresser dans l'échelle des *varna* en s'inventant des origines « noble » ou en adoptant un régime alimentaire végétarien copié sur le modèle brahmanique). Il est à rapprocher de la façon nouvelle qu'ont les « intouchables » de se nommer eux-mêmes : les *dalit*, ou les « opprimés ». En Inde, pour parler des « hors-castes », plus personne ne dit « intouchable », ni, non plus *harijan* (« enfants de dieu »), une expression qu'avait composée le Mahatma Gandhi dans un esprit charitable. Le mot *dalit*, infiniment plus digne, s'est désormais imposé dans toute l'Inde. Ce sont en vérité toutes les valeurs traditionnelles du « système des castes » qui sont bouleversées. Cela n'en signifie pas pour autant que le système lui-même implose. Au contraire, sous l'effet de la politique des quotas dont la majorité de la population peut prétendre bénéficier, il se renforce actuellement mais, on l'aura compris, en acquérant un sens nouveau. L'hindouisme, dans sa manifestation castéiste, n'a donc pas fini de mobiliser autour de sa représentation du monde la très grande partie de la population.

Le *karma* d'Arjun

La façon dont l'Inde se figure la place de l'individu dans la société est également diffuse dans l'ensemble du pays. Pour l'expliquer, on partira des notions de *dharma* et de *karma*. Comme le définit Michel Hulin dans *Le Fait religieux*, le *dharma* (la racine *dhr* signifie « étayer », « soutenir ») constitue « l'ensemble des relations intelligibles, des « lois » qui sous-tendent l'univers et l'empêchent de s'effondrer dans le chaos. A ce niveau d'abstraction, il se présente comme un cadre cosmique qui englobe et dépasse à la fois la réalité humaine ». Au niveau concret et humain, « il consiste dans l'ensemble des institutions, des modes de vie, des rites et des conduites individuelles « justes », en ce sens qu'ils sont générateurs de paix, de stabilité, de concorde, de prospérité et permettent au plus grand nombre d'accéder dans toute la mesure du possible à des biens comme l'aisance matérielle, la satisfaction des sens, la santé, la longue durée de vie, la continuité des lignes familiales ». Bref, le *dharma*, c'est une sorte d'« ordre du monde » à la fois immanent et concret qui enserre toute l'humanité dans sa logique.

Pour préserver cet ordre, des actes dits « justes » sont nécessaires afin de contrecarrer l'effet d'actes qui ne le seraient pas. La notion de *karma* individuel est étroitement liée à ces actes. Elle signifie en quelque sorte le « devoir » de chacun, en accord avec sa nature propre ; et c'est en accomplissant son devoir qu'on agit de façon « juste ». Ce « devoir », soulignons-le, est étranger aux notions de bien et de mal qui fondent les valeurs des sociétés judéo-chrétiennes. Il est lié à la destinée de chacun. Le *Mahabharata*, l'une des deux grandes épopées de l'hindouisme avec le *Ramayana*, contient un épisode fameux qui permet d'en comprendre le sens. Il s'agit de l'histoire d'Arjun, le guerrier, souvent racontée par les mères indiennes à leurs enfants. Ce dernier fait partie du clan des Pandava, en lutte mortelle contre les Kaurava. Le sort du monde dépend de leur combat farouche, car les Kaurava ont, pour diverses raisons, bouleversé son « ordre ». Arjun est adossé à son char, dont le cocher est le dieu Krishna. Il dispose d'un arc pourvu d'une terrible flèche. Il sait, s'il la tire, qu'il décidera de la victoire des Pandava. Il sait aussi que, ce faisant, il détruira la moitié du monde, parmi laquelle se trouvent nombre de ses cousins et des gens de grande valeur qu'il aime et respecte. Devant le carnage qu'il va ainsi déclencher, il hésite. Son bras tremble.

Il ne peut pas tirer, craignant les conséquences de son acte. Krishna vient alors à son aide et le convainc que cet acte ne doit pas être envisagé ainsi mais qu'il doit s'accorder avec sa propre destinée, c'est-à-dire selon son *karma*. L'acte seul est pris en compte, défini par le devoir d'Arjun, qui consiste à agir en accord avec sa nature de guerrier.

Arjun tire donc sa flèche. Certes, il provoque un massacre innommable, mais son acte est « juste » car il correspond à sa fonction de guerrier et son accomplissement permet de rétablir l'« ordre » du monde.

Le *Mahabharata* et le *Ramayana*

Les deux grandes épopées du *Mahabharata* et du *Ramayana* appartiennent aux textes de la *Smirti*, c'est-à-dire de la Tradition confiée à la mémoire. La première, immense poème sanscrit né sans doute autour de l'ère chretienne, contient un message philosophique essentiel pour l'hindouisme, directement lié à l'intrigue : la lutte des Pandava et des Kaurava. L'un des personnages féminins majeurs, Draupadi, a cinq maris. Elle refuse que son sort soit scellé à l'issue d'une partie de dés. Le *Ramayana*, qui date de la même époque, compte un nombre infini de petites « histoires » édifiantes que tous les Indiens connaissent. Ses deux protagonistes principaux sont le dieu Ram et la déesse Sita. Celle-ci, ravie par le dieu Ravana qui la séquestre à Ceylan sans attenter à sa dignité, est sauvée par son époux, Ram, avec l'aide du dieu-oiseau Garuda (qui donne son nom à la compagnie nationale d'aviation indonésienne) et du dieu-singe Hanuman. Ram et Sita reviennent dans leur bonne ville d'Ayodhya que les habitants illuminent pour célébrer leur joie (en Inde, chaque automne, pour la fête de Diwali, on orne les maisons de petites bougies ou de guirlandes électriques en souvenir de l'événement). Mais Ram entretient soudain des doutes sur la pureté (virginité) de Sita lors de son séjour à Ceylan. Sita, accablée, se suicide par le feu. Mais, signe infaillible de sa pureté, elle en renaît. Ram reconnaît alors son erreur.

Cette histoire est au cœur des manières d'agir et de penser hindous et, plus généralement, indiennes. Accomplir son devoir, non pas en termes de bien et de mal, mais selon ce qu'on est : telle est la philosophie quotidienne. La leçon est valable à tous les niveaux d'analyse, quel que soit le critère de référence. Prenons, premier exemple, les différentes étapes de la vie. Et disons les choses très simplement. Il est « juste » quand on est enfant de se comporter comme un enfant, et pour les parents, d'accepter et d'accompagner ce comportement. L'enfant, dans nombre de familles indiennes, est roi, et son éducation est beaucoup moins enfermée dans les règles strictes et rigides, souvent émaillées de rappels à l'ordre violents (gifles, fessées, « ne met pas tes coudes sur la table », « dis bonjour à la dame », etc.) qui sont le lot des civilisations occidentales. Le fait que la plupart des familles indiennes vivant sous le même toit incluent encore très souvent nombre de femmes (sœurs aînées, tantes, belles-filles, grand-mère...) facilite, il est vrai, l'attention patiente avec laquelle on traite les enfants en Inde. Le stade de l'adolescence, en revanche, marque une nouvelle étape au cours de laquelle il devient de plus en plus « juste » de se préparer à la vie adulte. Celle-ci, qu'on ne peut concevoir hors du mariage, consiste tout aussi « justement » à élever ses enfants et à les bien marier. Somme toute, c'est seulement quand on devient vieux et qu'on a « réglé » sa vie qu'on peut enfin librement penser à soi. Prenons, deuxième exemple, la situation sociale. Il s'agira alors à ce niveau de respecter les devoirs de la caste dans laquelle on est né. Le conservatisme social est ici à son comble. Mais raisonnons par l'absurde, ou presque, pour faire comprendre ce que cela signifie au niveau philosophique. Pour un voleur né dans une caste de voleurs (il en fut), il sera « juste » d'être un bon voleur. Telle est, dans ce cas, la définition du bien et du mal. Dira-t-on que cette conception est dangereuse pour la société ? Pas vraiment : un « bon » voleur tombera dans les mains d'un « bon » gendarme, qui le remettra dans les mains d'un « bon » juge, qui le fera pendre par un « bon » bourreau. Au bout du compte, l'ordre social est rétabli... et il n'y a pas plus de criminels en Inde qu'en France ou ailleurs. Le résultat social est le même, mais la pérennité de la société n'est pas assurée au travers des même codes et des mêmes prismes moraux. Troisième exemple, enfin, celui des religions et des croyances. Comme on sait, l'hindouisme exclut par définition tout prosélytisme. La croyance en la réincarnation l'exclut : nous sommes ce que nous sommes parce que nous sommes le produit de nos milliers de vies passées. Etre hindou ne résulte donc pas d'un choix individuel mais de la naissance. Par conséquent, toute conversion à l'hindouisme est par nature impossible à concevoir. Cette façon de voir induit à la fois beaucoup de tolérance et beaucoup d'« imperméabilité » vis-à-vis de l'autre. Au niveau des principes, quelle sera en effet l'attitude d'un hindou vis-à-vis de l'adepte d'une autre religion ? Il aura tendance à lui dire en substance, à supposer par exemple que celui-ci soit chrétien : « Fais ton devoir de chrétien le mieux que tu peux, si tu le fais très bien, tu seras peut-être réincarné en hindou plus tard ». Même chose pour un athée, bien entendu. Ou un communiste. Ou qui que ce soit. La tolérance est totale, autant que sont infrangibles les différences. A chacun, somme toute, d'assumer son *karma*.

L'individu et la société

Cette conception des choses, qui est aussi sans cesse une façon d'agir, imprime sa marque sur l'ensemble du pays. Un musulman, par exemple, ne croira évidemment pas en la réincarnation, mais sa façon d'élever ses enfants s'intégrera tout à fait dans ce qui vient d'être dit. C'est dans ce cadre qu'il existe en Inde une façon très spécifique de concevoir le rapport de l'individu à la société ou au collectif. Et il y a, en Occident, souvent beaucoup de malentendus à ce sujet. Il convient de souligner que la notion de « devoir » au sens du *karma* n'induit pas forcément le fatalisme. Dans les limites des codes de comportements imposés par la société, en Inde comme ailleurs, il existe toujours pour l'individu la possibilité d'interpréter à sa façon « ce qu'il est juste de faire ». Chaque individu est donc doté d'une sorte de libre arbitre lui permettant d'interpréter du mieux qu'il le croit le sens de son *karma*. Ce d'autant plus que l'hindouisme n'a ni livre sacré, ni dogmes établis, ni clergé chargé de dire la Loi, ni, bien sûr, de pape. Même au niveau des rituels, la liberté d'appréciation de chacun est grande. C'est d'ailleurs la raison pour laquelle les sectes religieuses (vishnouiste, shivaiste...) prolifèrent aisément en Inde : chacun peut décider de « son » rituel, puisque c'est la pratique individuelle, telle qu'elle s'avère plus ou moins conforme aux pratiques sociétales en vigueur, qui constitue le facteur décisif du comportement légitime. De ce point de vue, l'hindouisme ne constitue pas une orthodoxie mais une « orthopraxie ».

Mais c'est aussi la raison pour laquelle le collectif l'emporte toujours un peu sur l'individuel, comme si chacun devait se couler à tout moment dans le « protocole » de la vie, ce qui peut se révéler aussi bien rassurant, commode et confortable qu'étouffant et insupportable. Prenons une image pour le faire comprendre. Chaque Indien est à tout instant de sa vie enserré dans un grand nombre de définitions identitaires qui le marquent à jamais. C'est un peu comme s'il portait en permanence sur sa poitrine comme autant de médailles lui signifiant, ainsi qu'à son entourage, ses nombreuses identités : son âge, son sexe, sa caste, sa région, sa langue, sa religion, sa famille, son statut familial (marié, non marié, sœur ou frère aîné, sœur ou frère cadet, etc.), sa nationalité (dans ce dernier cas, une

« médaille » destinée à assurer sa visibilité vis-à-vis de l'étranger). Tout Indien joue évidemment à tous moments, de façon variable selon les situations et ses interlocuteurs, avec ces multiples identités qui lui collent à la peau comme les galons à l'uniforme. Une sœur aînée veillera par exemple à ne pas gêner le mariage de sa sœur cadette par son comportement. L'époux et l'épouse, considérés réciproquement comme la moitié l'un de l'autre, adopteront, de même, certaines règles de vie qui, au sein de la famille, peuvent être très lourdes. Bref, chaque habitant de l'Inde se doit d'exhiber ses multiples « médailles » au sein de son entourage, seule façon de bien accomplir son « devoir ». Le contrôle social, même s'il apparaît « naturel », est très fort. Reconnaissons qu'il peut lui arriver d'avoir une furieuse envie de se les arracher, toutes ces médailles, pour être enfin libre, totalement libre...

C'est alors que naît le personnage du *sanyasin* ou du *sadhu*, le « renonçant » ou le « sage », cette emblématique figure de l'Inde. Mais qui donc est-il, cet homme (beaucoup plus rarement cette femme) ascétique, qui va errant sur les routes, et qu'il n'est pas rare de croiser dans le pays, sinon théoriquement un homme en quête de liberté absolue ? Un feu terrible le brûle, celui de sa délivrance (*moksha*), de son arrachement au monde si pesant qui l'entoure, et qui doit (peut-être) le mener à *sa* vérité. Il s'est, d'ailleurs, couvert de cendres pour bien indiquer qu'il est, de fait, le siège de l'impérieux incendie qui le dévore. Et quant il mourra, il ne sera pas nécessaire de faire une nouvelle fois brûler son corps, déjà consumé de son vivant, sur le bûcher funéraire : il suffira, seule exception à la règle hindoue, de l'enterrer... Son errance même est une obligation. Se « poser » dans le monde, sauf le temps d'une courte halte dans un *ashram* pour se protéger des pluies de la mousson ou se reposer un peu, ne serait-ce pas courir immanquablement le risque de se laisser à nouveau happer par la société qu'il s'agit de fuir ? Errance et ascétisme : la liberté est à ce prix. L'effort que coûte sa recherche est, en quelque sorte, directement proportionnel au poids de la société environnante. L'importance du personnage dans l'imaginaire indien est en elle-même l'une des illustrations les plus puissantes de la façon dont les Indiens, toutes religions et toutes castes confondues, reconnaissent appartenir à la même société. Nul mieux que le Mahatma Gandhi ne parviendra à en incarner l'une des manifestations dans le domaine politique, guidant ainsi son pays vers le chemin de la liberté, quelles que soient par ailleurs la diversité et les divisions de son peuple.

La famille et la place des femmes

On ne saurait, enfin, souligner la cohésion de la société indienne sans évoquer, même brièvement, la place qu'y occupe la famille. Jusqu'à une époque relativement récente, la famille indienne type était constituée par la famille indivise (*joint family*), regroupant sous un même toit des dizaines de membres appartenant généralement à trois générations. Des dispositions spéciales en régissent toujours les règles au niveau juridique, comme dans le domaine de l'héritage. Aujourd'hui, en particulier dans les villes, la famille indienne a nettement tendance à se rassembler autour du noyau constitué par le couple marié et ses enfants. Mais il est très fréquent de voir cohabiter sous un même toit, avec leurs enfants et petits-enfants, un ou deux grands-parents, et une ou plusieurs tantes, si celles-ci sont célibataires, ce qui est rare, ou veuves. Le principe général de l'organisation familiale est de type patriarcal, quoiqu'il existe encore au Kérala les vestiges d'un ancien système matriarcal ; on trouve encore dans cet Etat du sud de l'Inde une caste où se pratique (de façon marginale) la polyandrie, c'est-à-dire le fait pour les femmes d'avoir plusieurs maris. L'une des principales figures du *Mahabharata*, une femme, la déesse Draupadi, n'avait-elle pas cinq maris ? Même dans ce cas, cependant, l'oncle maternel représente le personnage essentiel de la famille.

La place centrale de la famille dans la société indienne est évidemment liée en grande partie aux rôles qu'elle joue encore dans la vie quotidienne, qu'il s'agisse d'un rôle matrimonial ou d'une véritable sécurité sociale. Le mariage est une affaire de famille. Jusqu'à ces dernières années, il n'était pas rare de voir des parents marier leurs enfants en bas âge. Cette pratique est maintenant interdite et punie par la loi. En revanche, celle du mariage dit « arrangé », c'est-à-dire arrangé par les parents des deux futurs époux, reste la norme. Le mariage dit « d'amour » demeure, aujourd'hui encore, l'exception. Cela ne signifie pas qu'on se passe du consentement préalable des futurs mariés. Généralement, une ou plusieurs rencontres sont aménagées entre eux, et chacun va donner son avis. Dans la grande majorité des cas, surtout parmi les couches moyennes urbaines, les familles s'efforcent de proposer à leurs enfants un éventail assez large de possibilités, de telle sorte que le choix du garçon ou de la fille correspondent au plus près à leur goût. Evidemment, les choix offerts le sont pratiquement toujours au sein d'une même caste, d'une même communauté religieuse et *grosso modo* d'une même couche sociale. Cette façon de faire conforte de façon décisive la cohésion de la cellule familiale. Le mariage étant l'affaire du groupe plutôt que celui des individus, les nouveaux mariés auront en particulier beaucoup plus de mal à prendre eux-mêmes la décision éventuelle de se séparer. Le divorce, parfaitement légal, demeure donc très marginal dans la pratique. Sans famille, que deviendrait d'ailleurs l'individu en Inde ? En vérité, une personne pratiquement laissée sans défense. L'Inde n'a pas de système de sécurité sociale. Ses habitants n'ont pas les moyens de souscrire à quelque assurance que ce soit. Le chômage agricole est massif et endémique. Dans ces conditions, la famille représente la seule sécurité envisageable, surtout pour les personnes les plus vulnérables (enfants, femmes, personnes âgées). Pour ces groupes, notamment, elle constitue même à la limite leur seule garantie de survie. Il n'est donc pas étonnant que la famille, quelles que soient les entraves qu'elle représente pour la liberté individuelle de ses membres, constitue l'une des entités sociales les plus idéalisées du monde indien. La place des femmes dans la société découle pour beaucoup de ce phénomène.

Celle-ci varie évidemment beaucoup selon les régions, les castes, les classes sociales, le niveau d'éducation, les familles. Il est toutefois une constante qui se retrouve dans toute l'Inde : la femme est, partout, conçue comme l'image même du dévouement. Tout comme la famille, elle est l'objet d'une forte idéalisation, que ce soit vis-à-vis de ses enfants en tant que mère, vis-à-vis de son mari en tant qu'épouse, en tant que sœur vis-à-vis de son frère, ou, plus généralement vis-à-vis de sa famille en tant que gardienne par excellence du foyer. A la base de ce dévouement, il y a la notion de sacrifice qui est, en quelque sorte, le lot de la femme. Et c'est parce qu'elle sait se sacrifier pour une cause qui la transcende que la femme suscite dans la société toutes les marques de dévotion dont l'Inde est capable, et qu'elle peut rejoindre, dans l'imaginaire, le statut des déesses. Encore faut-il cependant bien comprendre que la cause à laquelle la femme peut se dévouer peut légitimement dépasser le cadre étroit de la famille. Elle peut être, par exemple, d'ordre politique, comme le service de la nation. Dès lors que la femme se montrera pour ainsi dire la digne servante de la cause qu'elle s'est choisie, on lui reconnaîtra aisément le droit d'exercer son pouvoir, son intelligence, ses capacités, sa force et sa puissance (l'expression de la puissance, *shakti*, est d'ailleurs une déesse, donc une femme). Elle aura donc le droit de commander aux hommes, et ce droit sera parfois mieux reconnu et accepté par la société indienne que cela ne l'est dans les pays industriels avancés. Car il suscitera naturellement respect et dévotion de la part des hommes. Aussi n'est-ce pas tout à fait surprenant que le sous-continent indien soit l'une des rares régions du monde où tant de femmes aient exercé ou exercent le pouvoir, que ce soit l'Inde avec Indira Gandhi, le Sri Lanka avec Mme Bandaranaike, le Pakistan avec Bénazir Bhutto ou le Bangladesh qui voit deux femmes, l'une au pouvoir, l'autre à la tête de l'opposition, animer actuellement le jeu politique au plus haut niveau. En Inde même, qui a déjà vu plusieurs femmes diriger les gouvernements de diverses provinces, Sonia Gandhi, s'apprête peut-être à devenir un jour le nouveau Premier ministre du pays. Si cela se produit, la veuve de l'ancien Premier ministre Rajiv Gandhi ne le devra pas seulement au fait qu'elle porte le nom de Gandhi et qu'elle appartient à l'une des lignées politiques les plus prestigieuses du pays, celle des Nehru. Elle le devra aussi au fait qu'elle est une femme, c'est-à-dire, pour se resituer dans le contexte indien, une veuve qui a montré sa capacité à prolonger le destin de son mari, et une mère qui a constamment pris soin d'éduquer ses enfants en Inde, malgré son origine italienne, et qui donc, comme Indira Gandhi l'avait été avant elle, pourra apparaître comme la Mère de son peuple, notamment aux yeux du monde rural. Or en Inde nul ne peut, autant qu'une mère, susciter le respect et la dévotion.

Des quotas de 33 %

Le 18 décembre 1998, l'une des principales formations de l'Inde, le Parti du Congrès, présidé par Sonia Gandhi, a modifié ses statuts pour imposer un quota d'un tiers de femmes (33 %) parmi ses dirigeants. Le Parti du Congrès soutient également un projet de loi réservant aux femmes 33 % des sièges de députés au Parlement fédéral et dans les Assemblées législatives des différents Etats de l'Union indienne.

Beaucoup, bien sûr, diront qu'une femme doit être, en tant que femme, reconnue comme telle et que c'est en raison de cette reconnaissance de type individualiste qu'elle dispose d'autant de droits que l'homme dans tous les domaines, donc y compris sur le plan sexuel. Ce n'est pas comme cela que l'Inde d'aujourd'hui voit les choses : les organisations indiennes de défense des droits des femmes, qui sont nombreuses dans le pays et dont certaines ont été créées au début du siècle, ne mettent d'ailleurs pas l'accent sur la question de la libération sexuelle dans leurs revendications. Aux yeux des Indiens, les femmes font, comme les hommes, partie d'un tout social, et c'est dans le cadre de ce « tout », qui inclut en priorité, comme on l'a dit, la famille fondée sur la base du mariage, que se définit et se vit leur statut dans la société.

Cela ne doit cependant pas conduire à masquer les discriminations sociales dont sont victimes les femmes, et qui, précisément, constituent l'autre facette de leur condition de « sacrifiée ». En Inde, mais ce pays est loin d'être une exception dans le monde de ce point de vue, les femmes constituent un ensemble humain plus systématiquement brimé et exploité que les hommes. Dès sa naissance, une petite fille est socialement plus fragilisée qu'un petit garçon. Cette différence ne cesse de s'accentuer au cours de l'adolescence. Elle s'aiguise au moment du mariage, dans la mesure où la jeune épouse doit aller vivre dans sa belle-famille, une communauté qu'elle ne connaît pas et où elle se trouvera confrontée à l'autorité de sa belle-mère, et plus généralement, de la lignée de son mari. De plus, malheur à elle si le premier enfant qu'elle met au monde n'est pas un garçon : elle en sera jugée responsable.

Le système de la dot et les conséquences dramatiques qu'il peut engendrer est l'une des illustrations les plus évidentes de la place fragile des femmes. Ce système, pourtant officiellement stigmatisé, est actuellement en pleine expansion. Les familles conçoivent en effet le mariage comme l'un des moyens privilégiés de monter dans l'échelle sociale, que ce soit d'un point de vue économique ou symbolique. Cela est vrai en milieu rural, mais aussi pour les classes moyennes salariées. Dans ces conditions, comme la recherche de l'argent et du profit est devenue aujourd'hui le ressort intime de l'économie, la dot acquiert une importance démesurée dont sont directement victimes les femmes. La jeune épouse peut se retrouver sans défense face à l'hostilité de sa belle-famille si on y estime, par exemple, que la dot versée par la famille de la jeune fille est insuffisante ou que sa promesse n'a pas été honorée. A la fin des années 1980, un film (*Agnida, agni* signifiant le feu en hindi) tourné pour la télévision par le jeune cinéaste Arun Kumar et projeté à une heure de grande écoute fut très remarqué. Il montrait comment la tacite complicité de la famille d'origine de l'épouse avec la belle-famille de cette dernière, à laquelle on avait fait miroiter la perspective d'une dot plus importante que celle qui avait été versée, avait conduit au meurtre de la jeune femme par le feu. Car c'est très souvent par le feu que l'on tue – un sari en nylon s'embrase comme une allumette quand on y met le feu après l'avoir aspergé d'essence, par exemple au moment où la jeune femme est en train de cuisiner devant son fourneau, ce qui permettra de faire passer le meurtre pour une maladresse de sa part. D'après certaines statistiques, une femme par jour serait ainsi assassinée dans la seule capitale de New Delhi.

Le recours au feu n'est évidemment pas un hasard. Le feu évoque beaucoup de choses dans les représentations du monde hindou : pureté, purification, sacrifice, rites religieux... En particulier, il peut rappeler l'ancienne pratique de la *sati*, interdite par les Anglais (soutenus par les Indiens progressistes de l'époque) au début du XIXe siècle, par laquelle les veuves se jetaient vives sur le bûcher de leurs maris, une pratique qui resta toujours très minoritaire mais qui continue à faire partie de l'imaginaire hindou. La pratique était particulièrement atroce quand la « veuve » jetée dans le brasier était une petite fille mariée enfant à un petit garçon prématurément décédé. Des temples sont encore, ici et là, consacrés à honorer les *sati*, un mot qui désigne aussi les femmes qui se sont ainsi immolées. Certaines familles, notamment dans le Nord-Ouest de l'Inde, sont volontiers tentées de déguiser un meurtre en acte volontaire sacrificiel. Cela ne concerne que peu de cas, mais la force symbolique qui leur est attachée conduit à leur donner beaucoup plus d'importance quantitative qu'ils n'en ont en vérité. Y compris dans les pays occidentaux où l'on se laisse parfois aller à la fascination par ce qui n'est en réalité qu'un crime crapuleux.

Une *sati* sollicitée, et qui rapporte

« Javitri s'immole le 11 juillet 1979 à Jari, un village du district de Banda, en Uttar Pradesh. Elle se trouvait dans son village natal lorsque son mari, Ram Kant, étudiant en ingénierie, fut tué par des voyous avec son frère Shiv Kant. Elle eut néanmoins en rêve la révélation du drame. Elle se précipite aussitôt chez sa belle-famille, qui l'accueille par des imprécations : c'est elle la coupable, elle a jeté un sort à la lignée de son mari. Accablée, Javitri déclare son intention de se brûler. Elle n'a pas dix-huit ans. On lui a érigé un temple (dont la belle-famille tire les bénéfices). Elle y est adorée en compagnie de son mari et de son beau-frère : Javitri, Ram Kant et Shiv Kant sont représentés par des images cultuelles qui évoquent la triade des héros de l'épopée du *Ramayana*, Sita, Rama et Laksmana ».

Catherine Weinberger-Thomas, *Cendres d'immortalité. La Crémation des veuves en Inde*, p. 111.

CHAPITRE 4

La diversité du pays

L'Inde est l'un des pays les plus divers du monde. C'est tout particulièrement vrai dans les domaines linguistico-régionaux. Alors que l'URSS commençait à trembler sur ses bases et que son dirigeant de l'époque, M. Gorbatchev, demandait en privé à Rajiv Gandhi comment l'Inde faisait pour garder son unité, le Premier ministre indien lui aurait répondu, en mêlant intimement les réalités régionales et linguistiques, que c'était principalement en reconnaissant pleinement l'autonomie linguistique des Etats. Rajiv Gandhi aurait tout autant pu souligner que l'unité de l'Inde était également préservée parce que l'Etat indien respectait l'égalité entre les religions. On ajoutera que l'Inde réserve un sort particulier à ses tribus. Pour conclure, on illustrera la diversité actuelle de l'Inde en évoquant le foisonnement artistique dont elle fait preuve, notamment dans le domaine du cinéma et de la littérature... et la richesse de sa cuisine.

La pluralité linguistique et régionale

A chaque Etat sa langue, c'est, *grosso modo*, la politique de l'Inde. Aujourd'hui, la Constitution indienne reconnaît officiellement l'existence de dix-huit «langues de l'Inde». Presque toutes ces langues sont parlées par des millions ou des dizaines de millions de personnes et quelque 300 à 400 millions de personnes en ce qui concerne l'hindi. Elles peuvent être regroupées en quatre grands groupes distincts. Les deux plus importants sont constitués par les langues du Nord d'origine indo-aryenne, et celles du Sud d'origine dravidienne. Les deux autres ensembles sont représentés par les langues austro-asiatiques et tibéto-birmanes. Le groupe austro-asiatique concerne des langues parlées par des populations tribales. Aucune de ces langues n'a de statut constitutionnel, même si le santali (appartenant au groupe des langues munda) est parlé par près de 5 millions de personnes. Le groupe tibéto-birman concerne quelques minorités des contreforts de l'Himalaya.

Les 18 « langues de l'Inde »

Telle est, au terme de la Constitution indienne actuelle (1999), la liste des « langues de l'Inde » : l'assami (Assam), le bengali (Bengale occidental), le gujerati (Gujerat), l'hindi (Inde du Nord), le kannada (Karnataka), le kashmiri (Cachemire), le konkani (Goa), le malayalam (Kérala), le manipuri (Manipur), le marathi (Maharashtra), le népali (au Nord-Est), l'oriya (Orissa), le punjabi (Punjab), le sanskrit (parlé en vérité par très peu de locuteurs, mais il y a encore des émissions de radio dans cette langue), le sindhi (la langue du Sindh, un Etat du Pakistan), le tamoul (Tamil Nadu), le telegu (Andhra Pradesh), et l'urdu (communément perçu comme la langue des musulmans du Nord).

Compte tenu du brassage constant de la population, il n'est pas rare de rencontrer en Inde nombre de gens parlant deux ou trois de ces langues, en sus de l'anglais. Le phénomène ne concerne pas la paysannerie, qui parle en général exclusivement la langue de sa région, voire son dialecte, car à côté de ces dix-huit langues de l'Inde existent quelque 2 000 dialectes, parlés eux aussi par des millions de locuteurs. Il concerne surtout l'intelligentsia urbaine, où l'on se marie plus facilement entre familles d'origines régionales différentes, et où nombre de fonctionnaires sont appelés à poursuivre leur carrière professionnelle dans divers Etats. Divers facteurs contribuent également à la diffusion de certaines de ces langues sur un espace plus vaste que celui de l'Etat concerné. C'est le cas des musiques de films très populaires qui, lorsqu'elles sont chantées en hindi, peuvent faire le tour de l'Inde. Cela dit, les films, y compris leurs chansons, sont souvent doublés en plusieurs langues. Même dans ce cas, l'impact de leur diffusion n'est pas négligeable : les musiques contribuent à répandre la langue régionale au niveau local, là où la population parle le dialecte du lieu. On imagine les difficultés qu'une telle diversité engendre, par exemple lors des campagnes électorales nationales des partis politiques. Tracts et manifestes doivent faire l'objet de multiples traductions. Il n'est pas rare, lors d'une réunion interne d'un parti politique, quand toutes les personnes présentes ne parlent pas l'anglais, de voir l'orateur faire traduire ses propos en deux ou trois langues avant d'être compris par tout son

Langues principales et secondaires

auditoire. Mais les Indiens ont l'habitude de gérer ces difficultés. La diversité linguistique, obstacle réel à la compréhension mutuelle, ne constitue jamais une barrière infranchissable à la communication.

217 millions de cassettes

« En 1990-1991, sur les 217 millions de cassettes [de chansons] vendues en Inde (sans compter le gigantesque piratage), 85 % l'étaient de musique de films dont elles représentaient 30 % des revenus. Il arrive que certaines chansons de films populaires hindi soient diffusées dans jusqu'à 18 langues indiennes différentes à la fois... Tous les spectateurs les connaissent donc par cœur. Au point que les chansons *filmi* (...) sont depuis les années '50' intégrées au patrimoine musical indien, diffusées dans des mariages, les fêtes et les rassemblements, politiques ou autres, les surprises-parties et... les fêtes religieuses ».

Yves Thoraval, *Les Cinémas de l'Inde*, p. 80.

De 1947 à 1950, la question linguistique est âprement débattue au sein de l'Assemblée constituante. Au cours des années 1950, de forts mouvements politiques s'expriment, notamment dans le Sud, qui conduisent le Premier ministre Nehru à redessiner la carte politico-administrative du pays. De nouveaux Etats sont créés sur des bases linguistiques. Le processus continue dans les années 1960. Il est encore inachevé, puisque existent actuellement des mouvements qui, notamment dans le Nord-Est de l'Inde, demandent la création de nouveaux Etats sur une base ethnico-linguistique (le Bodoland de langue népali). En 1950, deux questions liées entre elles focalisent les débats, celles du statut de l'hindi et de l'anglais. Généralement, les députés appartenant à la mouvance nationaliste hindoue souhaitent ériger l'hindi en langue « nationale ». Mais les élus des régions non hindiphones, surtout dravidiennes, veulent conserver leurs langues qu'ils ne considèrent pas seulement comme «régionales». Dénonçant l'«impérialisme linguistique» du Nord, ils préfèrent utiliser l'anglais dans leurs relations avec New Delhi et avec les autres Etats.

Un compromis est trouvé : la Constitution dresse une liste des «langues de l'Inde» et l'hindi est déclaré «langue officielle de l'Union». Quant à l'anglais, on décide de le considérer aussi comme une langue officielle, mais pour une période transitoire de quinze ans, le temps que prendra l'hindi pour se diffuser dans l'ensemble du pays. En 1965, on reprend donc l'échéance. L'opposition du Sud au hindi est toujours aussi forte. On se contente alors de pérenniser la situation précédente. C'est celle d'aujourd'hui. L'hindi conserve son statut de «langue officielle» (et non pas «nationale»). L'anglais est une «langue officielle associée». Depuis 1967, un amendement constitutionnel précise que ces dispositions ne pourront pas changer tant qu'un seul Etat de l'Union s'y déclarera attaché. Au vu de la position des Etats dravidiens, autant dire que les choses sont désormais totalement gelées.

Cette situation entérine donc un phénomène paradoxal : la seule langue dont les Indiens se servent pour communiquer entre eux sur l'ensemble du territoire est la seule qui ne soit pas issue de l'Inde, l'anglais, la langue de l'ancien colonisateur, devenue ainsi une «voix» de l'Inde. Une voix, certes, minoritaire puisque 6 % à peine de la population la parle, mais une voix importante puisqu'elle est utilisée par les élites nationales et qu'elle sert de liant au pays. De nombreux enfants, dans les familles aisées, la pratiquent dès la naissance et ce, depuis plusieurs générations. Elle s'est donc intégrée au panthéon linguistique indien.

L'anglais à l'école

Selon une étude officielle indienne conduite en 1992, 1,3 % des enfants des écoles primaires de premier niveau (*primary schools :* de 6 ans à 8 ans), 3,4 % des écoles primaire de second niveau (*upper primary schools :* de 8 ans à 11 ans), 3,9 % des élèves de la 6e à la 4e (*middle schools :* de 11 ans à 14 ans) et 13,2 % des élèves de la 3e au baccalauréat (*high schools :* de 14 ans à 17 ans) ont leur enseignement dispensé en anglais.

En milieu rural, l'anglais comme première langue est enseigné dans 0,6 % des écoles primaires de premier niveau et de deuxième niveau et dans 2,8 % des *high schools*. En milieu urbain, les chiffres sont plus élevés : 9,9 % des *high schools* y enseignent l'anglais comme première langue. Comme seconde langue, l'enseignement de l'anglais est dispensé dans 51 % des écoles primaires rurales, dans 55 % des écoles primaires urbaines, dans 57 % des *high schools* rurales et dans 51 % des *high schools* urbaines. En tant que troisième langue, il concerne 5 % des écoles primaires rurales, 21 % des écoles primaires urbaines, 44 % des *high schools* rurales et 41 % des *high schools* urbaines.

Ces statistiques soulignent l'intérêt que représente l'apprentissage de l'anglais, même aux yeux des familles rurales, qui s'expriment en langues vernaculaires. Et plus on monte dans le système éducatif, plus les familles convoitent la connaissance de l'anglais. Celle-ci est notamment nécessaire pour toute éducation universitaire et dans les écoles ou instituts de haut niveau.

India. A Country Study, p. 193-194.

La diversité religieuse

Aux côtés de sa majorité hindoue (environ 85 % de la population), l'Inde compte de nombreuses minorités religieuses. Certaines sont d'un poids démographique peu important, même si ses membres jouissent d'un prestige social non négligeable. Il en va ainsi de la communauté jaïne (environ 0,5 % de la population), sur-représentée dans le domaine des activités commerciales, que la Constitution inclut d'ailleurs parmi la communauté hindoue. Elle se caractérise entre autres par son attachement à la non-violence qui se traduit par le respect d'un strict régime végétarien et, pour les plus orthodoxes, le refus d'attenter à toute vie animale, même la plus minime. La communauté parsie, qui consacre ses rites zoroastriens au soleil et livre ses morts placés sur des tours funéraires à la morsure de ses rayons, est de même numériquement faible mais riche. Ses quelque 65 000 membres se concentrent dans la grande cité industrielle et commerciale de Bombay. Ils comptent parmi eux la plus grande famille industrielle du pays, les Tata. Les bouddhistes, quant à eux, représentent 0,7 % de la population. Né en Inde au VIe siècle avant J.-C., le bouddhisme a disparu de l'Inde pour se diffuser dans le reste de l'Asie. Ses adeptes sont

Répartition des religions

notamment des «intouchables» ayant suivi l'exemple de leur *leader*, B. R. Ambedkar, l'un des principaux artisans de la Constitution, qui se convertit au bouddhisme par rejet du système des castes (*varna*). Les juifs, venus en Inde après la destruction de Jérusalem par Titus, ne comptent plus guère que 4 000 fidèles, concentrés à Cochin, Bombay et Calcutta. On peut, enfin, mentionner la survivance de l'animisme parmi certaines populations tribales, notamment dans l'Extrême-Nord-Est du pays. Trois minorités, en fait, exercent une influence importante sur la vie politique indienne : les communautés musulmane, sikhe et chrétienne.

L'Islam indien

Les quelque 120 millions de musulmans d'aujourd'hui (101,6 millions de personnes en 1991, 12,2 % de la population) constituent, de loin, la minorité la plus forte du pays. L'histoire politique et culturelle de l'Inde ne saurait se concevoir sans eux. Ils représentaient avant l'indépendance du Pakistan, en 1947, près du quart de la population de l'Empire des Indes. Leur installation s'est faite en deux temps. Les premiers, marchands et navigateurs arabes, sont pacifiquement arrivés en Inde au tout début de l'ère musulmane, par les côtes, où ils se sont peu à peu installés. Les seconds sont venus par vagues successives du Nord, en provenance du monde turco-persan. Les derniers venus, au début du XVIe siècle, fondent le grand Empire moghol que les Britanniques remplaceront par le leur en 1858. Les marques de sa culture sont omniprésentes en Inde, en architecture comme en musique, en peinture, en littérature ou dans le domaine culinaire. Sans elles, l'Inde d'aujourd'hui ne serait pas ce qu'elle est.

Le grand drame de la communauté musulmane indienne, c'est la «partition» de l'Inde britannique de 1947 en deux Etats ennemis, l'Inde et le Pakistan. La coexistence entre hindous et musulmans fut, au cours des siècles, marquée par une succession de périodes conflictuelles et pacifiques. Maints combats «féodaux» de l'époque opposèrent d'ailleurs les princes musulmans à d'autres musulmans pour la conquête de leur nouvel empire, chacun enrôlant de son côté des hindous. La domination des Britanniques donne soudain à cette coexistence un tour nouveau. Les nouveaux maîtres du pays, divisant pour mieux régner, parviennent peu à peu à distiller leur venin au sein de la communauté musulmane, en prenant appui sur les discriminations du système des castes à son égard. «Notre présence, leur disent-ils en substance, vous protègent contre l'hégémonie hindoue. Faites-nous confiance, nous protégeons vos droits de minorités». L'argument, ressassé au fil des ans, porte. Il contribue peu à peu à écarter le gros de la communauté musulmane du mouvement d'indépendance nationale. Celui-ci, en retour, adopte une posture hindoue plus marquée. Les deux phénomènes cumulent leurs effets. Et la communauté musulmane tend à tourner ses yeux vers ceux des siens qui lui parlent un langage plus religieux que politique. Les dirigeants musulmans laïcs qui rejoignent la direction du Parti du Congrès, tels le Maulana Azad, un proche de Nehru, le déplorent. Mais force leur est de constater le processus. En 1906, quelques étudiants musulmans vivant à Londres créent un parti pour les musulmans, la Ligue musulmane. En 1909, les Anglais imposent aux Indiens votant pour élire leurs représentants dans les institutions représentatives de l'époque deux électorats distincts, l'un pour les musulmans et l'autre pour les hindous. Les protestations du Parti du Congrès ne parviennent pas à faire reculer Londres. Le ver de la division est désormais dans le fruit. Il n'en sortira pas. Il est à l'origine directe de la «théorie des deux nations» qui sera bientôt celle de la Ligue musulmane, dirigée par Ali Jinnah. Aux yeux de ce dernier qui s'en persuade au fur et à mesure que la date de l'indépendance de l'Empire des Indes approche, celle-ci doit déboucher sur la création de deux Etats distincts, le Pakistan pour les musulmans et l'Inde pour les hindous.

Il lui faudra attendre le dernier moment pour y parvenir. En 1946, alors que la tension monte entre les deux communautés, excitées par les nationalistes des deux bords, Ali Jinnah appelle les siens à aller chercher «dans la rue» ce qu'il ne parvient pas à obtenir en restant attaché au processus constituant qui, péniblement, se met en place dans le cadre de la transmission des pouvoirs entre les Anglais et le nouveau gouvernement provisoire de la future République indienne dirigé par Nehru. La manifestation déclenche les premiers massacres, à Calcutta. En quelques semaines, ils ensanglantent une partie de l'Inde. La décision de Lord Mountbatten, le dernier vice-roi des Indes, d'avancer la date du transfert des pouvoirs (initialement prévu pour 1948) les relance. Les dés sont alors jetés. Les deux provinces du Punjab et du Bengale sont divisées sur des critères religieux, dans un véritable climat d'extermination entre hindous et sikhs d'une part, musulmans d'autre part. On compte quelque 200 000 morts. Plus de dix millions et demi de réfugiés de part et d'autre des nouvelles frontières abandonnent terres et biens dans la terreur.

Aujourd'hui, c'est fondamentalement la communauté musulmane qui apparaît la grande victime de ce véritable charcutage territorial et humain. Au Pakistan, nation aux fondements plus que fragiles, l'armée prendra bientôt le pouvoir. Elle n'aura de cesse de le conforter en s'appuyant sur une conception de plus en plus obscurantiste de l'Islam, ce qui ne permettra pas aux habitants du nouvel Etat d'y développer les riches potentialités de la glorieuse et raffinée culture de l'ancienne Inde moghole. L'Inde, beaucoup plus viable, pourra emprunter la voie du développement démocratique. Mais la communauté musulmane y sera toujours suspecte d'amitié rentrée pour le Pakistan. Les nationalistes hindous la dénoncent souvent comme la «cinquième colonne pakistanaise». La communauté musulmane indienne, sans cesse sommée de se justifier ou d'adopter «un profil bas», ne parvient donc pas non plus à exprimer la richesse de son potentiel culturel. Tous les chiffres le montrent : elle est sous-représentée au sein de l'administration et de l'élite politique, elle est globalement plus pauvre que la communauté hindoue, ses paysans disposent en moyenne de parcelles plus petites que les hindous. Symbole de cette déshérence culturelle : la lente disparition de l'urdu, la langue des musulmans du Nord de l'Inde héritée de l'époque moghole. Anita Desai, l'une des grandes romancières indiennes de langue anglaise évoque son poignant déclin dans un de ses romans, «Un Héritage exorbitant», que le cinéaste Ismail Merchant adapte pour l'écran en 1994.

La question sikhe

Les sikhs (plus de 16 millions de personnes en 1991, soit 1,94 % de la population) sont peu nombreux. La majorité d'entre eux vit au Punjab. Ils n'en jouent pas moins un rôle important en Inde. On les

Les 5 K

Littéralement, le terme sikh signifie « celui qui apprend », et par extension « disciple ». Tels sont les cinq signes martiaux que le *guru* Gobind Singh a demandé aux sikhs de porter :

- le *kirpan*, un petit sabre dont le port est garanti par la Constitution ;
- le *kesh,* des cheveux longs qu'il est interdit de couper ;
- le *kara*, un bracelet d'acier ;
- *le kaccha*, des caleçons longs - utiles pour monter à cheval ;
- le *kanga*, un peigne pour retenir les cheveux.

reconnaît aisément à leur turban, qui s'ajoute aux cinq signes distinctifs que leur neuvième et dernier *guru*, Gobind Singh, leur ordonna de porter au XVIIe siècle. C'est une religion récente. Elle a été créée au XVe siècle par le premier *guru*, Guru Nanak. Jusqu'à ces dernières années, ses membres était souvent perçus comme faisant partie de la communauté hindoue (elle l'est selon la Constitution), et, dans la plupart des cas, intégrés dans la catégorie des *khsatrya* (guerriers) quoiqu'il existe des sikhs rangés parmi la *varna* des *shudra*. Les Britanniques, qui mirent longtemps à les soumettre, en firent une sorte de «race martiale». De nombreux sikhs (tous comme les Gorkhas du Népal) furent ainsi incorporés dans l'armée et cette tradition est encore vivace aujourd'hui.

Les sikhs constituent-il cependant un peuple ou une religion ? Leur concentration dans un seul Etat de l'Inde, leur signes de reconnaissance extérieure (turbans et barbes) permettent à certains d'hésiter sur la définition. Certains dirigeants de la communauté voulaient créer en 1947 leur propre Etat indépendant. En 1966, ce rêve débouche sur la création d'un Etat du Punjab dont la langue, le punjabi, est parlée par la majorité des sikhs. Mais ce n'est pas véritablement un Etat sikh. L'agitation sikhe reprend au cours des années 1970. Alors au pouvoir, Indira Gandhi tente de diviser la communauté en utilisant les extrémistes du mouvement contre les modérés. Peu à peu, la situation lui échappe et, au début des années 1980, un fort mouvement terroriste sikh se développe. Ses dirigeants ne cachent pas leur objectif : sur le modèle de la «partition» de 1947, créer par le sang un climat de haine entre hindous et sikhs qui rende inévitables des transferts de populations et la formation d'un Etat sikh indépendant, le Khalistan. Terrorisme et répression enclenchent une situation de plus en plus violente entre les deux communautés : plus de 20 000 morts en une décennie selon les chiffres officiels. L'apogée a lieu avec l'intervention de l'armée indienne contre le Temple d'or d'Amritsar, sanctuaire sikh transformé en citadelle militaire par les terroristes, et l'assassinat d'Indira Gandhi par ses gardes du corps sikhs en 1984. Des pogroms anti-sikhs se déroulent alors dans de nombreuses villes. Ils restent largement impunis. New Delhi a gagné la guerre au Punjab et rétabli le calme. Mais l'amitié entre sikhs et hindous s'est dégradée. Les événements laissent des traces amères au sein de la communauté sikhe. Malgré cela, elle bénéficie d'un bon niveau de vie en moyenne et ne peut donc prétendre au statut de minorité brimée. Son cas de figure est donc très différent de celui de la communauté musulmane.

La minorité chrétienne

A peine plus nombreux que les sikhs, les chrétiens (2,34 % de la population, 23 millions de personnes) sont beaucoup moins remuants. Quinze millions sont catholiques, huit millions protestants. Globalement, leur communauté se fait avant tout connaître par ses activités sociales dans le domaine éducatif et hospitalier. Le personnage de l'infirmière catholique du Kérala, sa petite coiffe blanche sur la tête, est connu de toute l'Inde. Il est aussi célèbre que le label *couvent-educated* qui colle à la bonne future épouse, soucieuse de faire ainsi valoir ses mérites éducatifs dans les annonces matrimoniales qu'elle fait publier dans les journaux. L'action de Mère Teresa, prix Nobel de la paix, fut également un puissant facteur de visibilité.

La grande majorité des chrétiens vit au Sud de l'Inde. Ils constituent 35 % de l'Etat de Goa, l'ancienne enclave portugaise, et 20 % de l'Etat du Kérala, deux Etats dans lesquels leur vote est donc significatif. Ce qui, d'ailleurs, n'empêche pas le Kérala d'avoir été le premier Etat communiste de l'Inde en 1957. Récemment, un journaliste demandait à son dirigeant communiste si le très fort taux d'alphabétisation de l'Etat (quasi 100 %) était dû à la politique de son parti. «Non, répond ce dernier, c'est la conséquence de la politique poursuivie par les missionnaires catholiques ». Et d'ajouter que si le vote communiste est si fort au Kérala (quelque 35 % des voix), « ce n'est pas parce que les communistes ont donné les moyens de lire aux gens mais parce que ceux-ci savaient déjà lire et écrire».

Fondamentalement, les chrétiens indiens sont confrontés à deux types de problèmes. D'une part, on les identifie souvent avec la domination occidentale. On leur reproche d'avoir joué un rôle très faible dans la lutte du mouvement d'indépendance et d'avoir été «choyés» par les autorités coloniales plus que n'importe quelle autre communauté. D'autre part, on les soupçonne d'avoir abandonné la «culture indienne». On note ainsi que c'est parmi la communauté chrétienne que les femmes s'habillent le plus fréquemment en robe ou en jupe. Alors que le sari ou le *salvar kamiz* (pantalon bouffant accompagné d'une longue chemise) restent toujours massivement portés par les hindoues et les musulmanes. En fait, une petite partie de la communauté, les «premiers chrétiens», affirme qu'elle est la descendante des disciples de saint Thomas, un disciple du Christ qui aurait évangélisé l'Inde du Sud au Ier siècle. Quoiqu'il en soit, on sait qu'une minorité chrétienne vivait en Inde bien avant l'arrivée des missionnaires occidentaux. Certains d'entre eux prétendent d'ailleurs avoir des origines brahmaniques. Quant à la masse des chrétiens, ce sont des hindous convertis depuis l'époque de la colonisation. Cela n'en fait pas pour autant des individus «dé-indianisés». Une partie d'entre eux provient des milieux «intouchables», une autre des populations tribales. Ces nouveaux convertis gardent évidemment leur façon de vivre, celle du monde ambiant. Depuis l'indépendance, les conversions d'hindous au christianisme, à l'islam ou au bouddhisme restent un phénomène ultra minoritaire dans la société indienne. Les inquiétudes que cela suscite répondent donc essentiellement à des fantasmes xénophobes, et non à la réalité. Tout comme, d'ailleurs, la réaction de rejet que provoquent souvent dans la société indienne les quelque 250 000 Anglo-Indiens, c'est-à-dire les métis d'ascendance européenne. Terre de diversité et de mélanges, l'Inde n'aime pas trop qu'on lui parle de métissage, toujours confusément vécu comme quelque chose d'impur.

Aménager la coexistence religieuse, en revanche, ne lui pose aucun problème insurmontable au niveau des principes. L'hindouisme, on l'a vu, exclut tout prosélytisme et se satisfait fort bien de la présence à ses côtés, voire en son sein pour les sikhs et les jaïnes, d'autres religions puisqu'il assigne à ces dernières un rôle légitime dans l'éternel re-création de l'ordre du monde. Même vis-à-vis des athées, l'hindouisme n'éprouve aucun ressentiment. Après tout, l'hindouisme ne flirte-t-il pas lui-même avec l'athéisme dès lors qu'il estime que, si chacun accomplit très bien son *karma*, il pourra alors échapper aux cycles éternels de la vie et, atteignant ce que les bouddhistes appellent la béatitude ou le *nirvana*, n'être plus rien ou tout, comme on voudra : poussière du sol, parfum des fleurs, air du temps, souffle du vent... ? Aussi l'Inde n'éprouve-t-elle pas de grandes difficultés à concevoir un Etat laïc, au demeurant la seule construction étatique qui permet le «vivre ensemble» en bonne intelligence des diverses sensibilités religieuses. Mais, plutôt que de le définir comme un Etat totalement neutre, à l'écart des religions, elle le conçoit comme un Etat *secular*. C'est en effet le sécularisme par lequel la République indienne définit son régime. Cet anglicisme signifie que l'Etat traite toutes les religions sur le même pied sans qu'aucune d'entre elles ne soit officielle, que toutes sont considérées avec le même égard. C'est l'une des bases politiques essentielles du maintien de l'unité du pays dans la diversité.

Les NRI

La diaspora indienne compte entre 13 et 15 millions de personnes, dont la très grande partie (9 à 11 millions) vit dans différents pays d'Asie du Sud (Sri Lanka, Népal, Birmanie). Le reste se répartit en Afrique (surtout l'Afrique du Sud), aux Caraïbes et dans les pays développés (2 millions de personnes en Angleterre, aux Etats-Unis et au Canada). C'est là que vivent les fameux *Non Resident Indians*, les NRI, ces Indiens qui travaillent et résident à l'étranger. L'Inde apprécie tout particulièrement leur argent qu'ils peuvent placer dans ses banques. Depuis le lancement de la politique de libéralisation économique, en 1991, ils sont particulièrement choyés par les autorités. Mais ils jouaient un rôle bien avant déjà. Un économiste indien a calculé que les dépôts monétaires dans les banques indiennes des NRI avaient permis de combler entre 34 et 51 % du déficit de la balance des paiements de la fin des années 1970 au milieu des années 1990.

Les tribus

Les tribus, vieilles descendantes des premiers occupants du sol indien, sont considérées comme des minorités ethniques. Toutes les nouvelles études publiées sur le sujet continuent à insister sur ce point même si les migrations accomplies au cours des siècles ont quelque peu modifié la donne. Quoiqu'il en soit, les populations tribales se nomment souvent elles-mêmes *adivasi*, une expression issue des mots hindi *adi*, « commencement », et *vasi*, « résidents de ». On compte actuellement quelque 400 tribus en Inde, regroupant une population de plus de 67 millions de personnes, soit un peu plus de 8 % de la population. Plus de 50 % des *adivasi* vivent dans les ceintures forestières et les régions rurales orientales et centrales de l'Inde (Bengale, Bihar, Madhya Pradesh, Orissa). Un cinquième habite à l'Ouest (Gujarat, Rajasthan, et Maharashtra) et 6 % seulement au Sud. Le reste vit dans l'Extrême-Nord-Est du pays. Ces populations sont donc suffisamment concentrées pour faire entendre leurs revendications. Au cours de l'histoire, certaines ont d'ailleurs joué un rôle glorieux, comme les Santals au Bengale qui ont combattu contre les Anglais, ou les *Bhil* au Rajasthan qui ont tenté de fonder leur propre royaume au cours des années 1920. Ces luttes continuent dans l'Inde indépendante. En 1975, les tribus Nagas du Nord-Est parvinrent à la création d'un nouvel Etat, le Nagaland et, en 1987, le processus se répète avec les tribus Mizos, qui obtiennent la création du Mizoram. Actuellement, un fort mouvement mobilise une partie de la population *adivasi* du Madhya Pradesh, du Bihar et de l'Orissa, qui réclame la constitution d'un nouvel Etat, le Jarkhand, littéralement le « pays des bosquets ».

Populations tribales

Certaines ont gardé leur valeurs traditionnelles ou leur religion, d'autres ont été absorbées par l'hindouisme, d'autres encore ont été converties au christianisme, les missionnaires protestants ayant été particulièrement actifs en milieu tribal dans le Nord-Est de l'Inde. A la fin des années 1960, certaines ont rejoint des mouvements communistes armés. Au cours de ces dernières années, ce sont plutôt des organisations non gouvernementales (ONG) qui ont tendance à se saisir du dossier tribal. Divers discours idéologiques d'un type nouveau s'entrecroisent, liés à l'ethnicité (la défense de la «culture tribale»), l'écologie (la disparition des tribus menacerait l'écologie), la politique (la dénonciation de la politique d'assimilation et d'intégration des autorités centrales). Le projet de barrage sur la Narmada au Madhya Pradesh et le déplacement des *adivasi* que cela implique illustrent typiquement les nouveaux enjeux dont est l'objet la question tribale. Comme on l'a déjà dit, l'Etat indien développe une politique de discrimination positive en faveur des «*scheduled tribes*» (les «tribus répertoriées»), leurs membres comptant généralement parmi les éléments les plus pauvres et les moins éduqués du pays.

Le foisonnement culturel

Foisonnement artistique et multiplicité des cuisines illustrent bien, finalement, la diversité bouillonnante de l'Inde actuelle.

Les Cinémas de l'Inde

En intitulant en 1998 son excellente somme encyclopédique et jubilatoire sur le cinéma indien *Les Cinémas de l'Inde*, Yves Thoraval ne s'y est pas trompé : la production cinématographique indienne ne peut se saisir que dans sa diversité. Impossible, bien sûr, de parler de tout. Qu'on y songe : en un siècle, l'Inde a produit 27 793 films depuis l'avènement du cinéma chez elle. Elle «sort» aujourd'hui 700 à 800 films par an. Beaucoup sont mauvais. Ils mettent néanmoins les spectateurs en transe. Surtout, leur diversité est grande, même si on y trouve toujours les ingrédients de base du cinéma indien : chansons et danse. Le temps est loin où le cinéma indien était dominé par la stature internationale de quelques grands metteurs en scène, dont les plus connus en France, des Bengalis, s'appellent Satyajit Ray, Ritwik Gatak, Mrinal Sen. Il s'est, depuis ces dernières années, considérablement diversifié, Etat par Etat. Et chaque Etat parvient à y exprimer sa sensibilité, au travers de films commerciaux ou d'auteurs. Depuis 1995, Bombay (157 films en hindi) ne domine plus la production, quantitativement parlant. Les cinémas telegou (Andhra Pradesh) et tamoul (Tamil Nadu) battent « Bolliwood », avec respectivement 168 et 164 productions. En 1996, nous apprend Y. Thoraval, « les quatre Etats du Sud, qui totalisent les deux tiers des salles de l'Union, auront produit 443 des 683 films sortis des « usines à rêve » indiennes. Chaque année, les capitaux investis en Inde dans le cinéma avoisinent 150 milliards de francs, qui rapportent autour de 2,6 milliards de francs de taxes à l'Etat ». Et encore, ne faudrait-il pas en conclure qu'il existe un cinéma du Sud contre un cinéma du Nord. Chaque Etat du Sud a son individualité. Prenons un exemple lié à la politique, concernant les deux Etats du Tamil Nadu et de l'Andhra Pradesh, où des acteurs connus sont, en raison de leur célébrité, devenus les chefs de gouvernement de leurs Etats respectifs. C'est le cas de M. G. Ramachandran (« MGR ») au Tamil Nadu. Il ne fait aucun doute que sa carrière politique est due au rôle du type « Robin des Bois » qu'il ne cessa d'incarner dans ses films. Or il s'agit là de rôles « laïcs » – héros dénonciateurs de l'arrogance des riches et réparateurs des humiliations subies par les pauvres – dans lesquels se reconnaissent des millions de spectateurs tamouls. On comprend dès lors l'incroyable popularité de « MGR » au Tamil Nadu. Elle doit être rapportée à l'histoire de cet Etat dravidien, qui a conduit ses habitants à s'imprégner d'une certaine *culture*. Celle-ci s'est en partie forgée au cours des luttes très populaires menées contre la domination des brahmanes, perçue comme un vestige insupportable de l'impérialisme indo-aryen venu du Nord. C'est dans ce contexte régional que sont nés les deux principaux partis politiques du Tamil Nadu (le Dravida Munnetra Kazhagam, ou DMK et le All India Anna DMK, ou AIADMK). Il est dès lors apparu normal aux yeux de millions de Tamouls que « MGR » s'impose à la tête du second après avoir quitté le premier en critiquant le manque d'intégrité de ses dirigeants. Le même raisonnement pourrait être tenu en Andhra Pradesh, bien qu'il y existe une autre *culture* politique populaire, plus ouverte à la religiosité. Le chef de cet Etat, N. T. Rama Rao (« NTR »), devint immensément populaire en incarnant, lui, des rôles de dieux dans des films mythologiques (« NTR » incarna dix-sept fois le dieu Krishna au cours de sa carrière d'acteur), tout en fondant le principal parti régionaliste de son Etat, le Telegu Desam. En vérité plus aucune région n'échappe au phénomène de la diversification cinématographique. Le Kérala se signale ainsi par l'importance de son cinéma d'auteur, comme le Bengale. L'Assam et la région du Nord-Est ont « leur » cinéma « tribal ». Cinq long-métrages ont été ainsi tournés en khasi (les Khasis vivent au Meghalaya, le « pays des nuages ») et en karbi (les Karbis vivent au Sud de l'Assam), et cinq également en bodo au cours des douze à quinze années écoulées. Un jour viendra où les *dalit* auront, eux aussi, « leur » cinéma.

Et la musique…

« La musique en Inde, c'est bien simple, est indispensable à la vie quotidienne ; elle y entretient la pratique d'un élément dont l'Occident a perdu l'usage, la durée. Là-bas, la musique n'a pas d'horaire défini à l'avance : le musicien termine quand il est à court d'inspiration. Trois, six ou douze heures plus tard, c'est sans importance. Quand il s'agit d'art, le temps n'est pas compté ; alors, miracle, s'ouvre le règne de la durée, cet art de vivre capable de résister aux contraintes de toutes sortes, familiales ou économiques, syndicales ou idéologiques. En Inde, la durée est une évasion prévue dans le temps : personne n'aurait le droit de conclure un concert avant d'être arrivé au terme de la musique, qui n'a d'autre fin que l'épuisement physique. Or le cinéma indien est le plus musical du monde ; très tôt, les grands musiciens classiques ont fait cause commune avec l'art des images, et l'on ne compte plus les films consacrés à un musicien, une chanteuse, un style, une danse, à la musique elle-même. Nulle part ailleurs on ne trouvera un cinéma plus imprégné de musicalité.

Et de danse ».

Catherine Clément, préface, *Les Cinémas de l'Inde*, p. 9.

La multiplicité des littératures

« Le Dieu des petits riens »

« Arundhati Roy est la nouvelle coqueluche du monde littéraire anglophone. Son premier roman, *Le Dieu des petits riens* a obtenu le prestigieux Booker Prize en 1997. Ses critiques la comparent à Faulkner à cause de sa prédilection marquée pour le mystère des origines, à Joyce pour l'exubérance de son style et inévitablement à Salman Rushdie pour cette imagination baroque et foisonnante qui est devenue la marque de fabrique de la nouvelle littérature indienne ».

Tirthankar Chanda, *L'Humanité*, 24 avril 1998.

On retrouve la même exubérance dans la littérature. L'Académie indienne des Lettres ne retient pas moins de vingt-deux langues littéraires en Inde. En bengali, en hindi, en gujerati, en marathi..., des dizaines de nouveaux romans sont publiés chaque année, des centaines de poèmes apparaissent dans les revues et les journaux écrits dans toutes « les langues de l'Inde ». Le temps est fini où le grand écrivain bengali Rabindranath Tagore, prix Nobel de littérature en 1913, pouvait à lui seul, aux yeux de l'étranger, symboliser la littérature de l'Inde. Celle-ci, depuis longtemps mais de plus en plus encore depuis l'indépendance, s'écrit au pluriel. Hélas, très peu de ses romans sont traduits en anglais, et encore moins en français. On connaît un peu, grâce à l'effort de courageux spécialistes, l'œuvre de l'immense écrivain de langue hindi d'avant-guerre, Premchand, l'équivalent d'un Charles Dickens en Angleterre. Mais qui connaît en Occident, par exemple, le romancier de langue hindi Nirmal Varma, ou bien encore Bhishm Sahani, auteur de *Tamas* («Les Ténèbres») qui traite des atrocités de la « partition » entre l'Inde et le Pakistan en 1947 et qui a fait l'objet d'adaptations audiovisuelles ? Par la force des choses, la seule littérature indienne que l'on puisse apprécier à l'étranger est celle des auteurs indiens de langue anglaise. A elle seule, elle foisonne d'approches et de styles différents. Elle est, par essence, phénomène d'hybridation puisque, venue d'Angleterre, elle s'est faite indienne. Comme l'écrit négligemment Salman Rushdie, qui en fait figure de chef de file, dans un petit recueil d'articles (publié en français sous le titre de « Patries imaginaires ») : « depuis quelque temps, la langue anglaise a cessé d'être la propriété des seuls Anglais »... Extraordinaire retournement de situation ! En devenant indienne, elle a acquis un goût nouveau, une saveur étrange venue d'ailleurs dont les grands écrivains du monde anglo-saxon doivent aujourd'hui tenir compte quand ils se mettent au travail : celles de toutes les épices de l'Inde...

La complexité de l'œuvre de Salman Rushdie

« L'hybridation est bien indéniablement la formule matricielle de l'œuvre globale de Salman Rushdie. Dire « poly-appartenance », en effet, c'est s'opposer à toute allégeance monolithique, à l'adhésion au groupe cohésif de la communauté organique ; c'est dire non à la structuration du sujet individuel par et dans l'enceinte du collectif homogène, qu'il s'agisse du clan, de la nation ou de la communauté religieuse. C'est refuser de laisser définir le sujet par le ciment d'une croyance partagée, laquelle établit entre ceux qui la partagent un lien organique, et, *ipso facto*, entre les « mêmes » et les « autres » une exclusion. La formule produit une forme romanesque qui est, en même temps, une éthique aux implications idéologiques cruciales ».

Annie Montaut, *Les Cahiers du Sahib*, n° 4, 1996, p. 138.

La vitalité littéraire de l'Inde d'aujourd'hui est sans aucun doute en grande partie liée à la liberté de presse, qui permet aux idées de circuler dans tout le pays. En 1950, le lectorat indien a déjà le choix entre 214 journaux quotidiens, dont 44 en anglais. En 1990, leur nombre est passé à 2 856, dont 209 en anglais. Depuis le début des années 1980, on assiste à une véritable floraison d'hebdomadaires. On peut sans doute estimer que la presse indienne est actuellement riche de quelque 40 000 titres environ, dont plus de 3 800 sont constitués de quotidiens publiés dans les différentes langues de l'Inde et en anglais. Hormis la période exceptionnelle de l'état d'urgence des années 1975-1977 au cours de laquelle les journaux furent soumis à un régime de censure, la presse indienne s'est toujours caractérisée par une propension naturelle à la critique, qu'elle soit le fait des journalistes ou des dessinateurs politiques. A l'occasion, comme ce fut par exemple le cas à l'égard de Rajiv Gandhi à la fin des années 1980 quand celui-ci fut empêtré dans divers scandales politico-financiers, certains grands journaux peuvent se révéler particulièrement incisifs vis-à-vis du pouvoir. Ce dernier dispose, certes, de moyens de pression non négligeables, notamment dans le domaine financier puisque près de la moitié des publicités publiées par la presse est d'origine gouvernementale. Pour continuer à bénéficier de cette manne financière, les journaux peuvent donc être enclins à modérer leurs ardeurs critiques. Cela dit, quand le pouvoir politique en place est tenté de trop renforcer son contrôle, il est immédiatement confronté à une levée de boucliers de la part des professionnels de la presse et des partis d'opposition. On le vit en 1988, quand le gouvernement tenta de faire adopter une « loi sur la diffamation » prévoyant de lourdes peines contre les journalistes, afin de se prémunir contre les attaques dont il était l'objet. Devant les très vives protestations qui s'exprimèrent dans le pays, il dut renoncer à son projet.

Depuis le début des années 1990, la politique de libéralisation économique, le développement de nouvelles habitudes de consommation parmi les couches moyennes urbaines et rurales, et la lente régression de l'analphabétisme, en renforçant l'autonomie financière et économique des journaux et des revues, confortent le pouvoir de la presse vis-à-vis des autorités gouvernementales et administratives. Le revers de la médaille, c'est la très notable concentration de la presse dans les mains de quelques grands trusts industriels, ce qui, par-delà la diversité des titres, conduit à une certaine uniformité de la pensée dominante. Celle-ci se note surtout dans le soutien apporté généralement aux nouvelles orientations économiques plus libérales adoptées par les différents gouvernements depuis une ou deux décennies. Sur les autres thèmes, la concurrence existant entre les différents titres conduit chaque journal à disposer de sa propre tonalité et originalité, renforcées par les réalités régionales auxquelles chaque journal se doit de « coller » pour consolider l'attachement de son lectorat. La revue mensuelle indépendante *Seminar* estimait ainsi récemment que 70 % de la circulation des journaux indiens étaient contrôlés par sept grands groupes familiaux. Quatre d'entre eux sont particulièrement importants : celui du *Times of India*, celui de *l'Indian Express*, celui de l'*Hindustan Times* et celui de l'*Anandabazar Patrika*. Le *Times of India*, le plus grand des quotidiens de langue anglaise, diffuse à 656 000 exemplaires et est publié dans six villes différentes. L'*Indian Express*, publié dans dix-sept villes, diffuse à 519 000 exemplaires. Les sept autres grands titres de la presse quotidienne en langue anglaise se vendent environ chacun entre 130 000 et 500 000 exemplaires. Les chiffes des journaux en langue vernaculaire peuvent être plus élevés : près de 700 000 exemplaires pour le *Malayala Manorama* au Kérala, près de 600 000 exemplaires pour le *Dainik Jagran* en Uttar Pradesh. Au total, on estime que le nombre de quotidiens et de périodiques représentent dans le pays une circulation de 60 millions d'exemplaires, publiés chaque jour dans plus de quatre-vingt-dix langues. C'est dire l'ampleur du rôle joué par la presse en Inde. Globalement, il s'en dégage un certaine vision « pan-indienne » de l'Inde sans que celle-ci fasse disparaître, bien au contraire, les spécificités régionales.

Le paysage télévisuel

La télévision est introduite en Inde en 1959, à Delhi d'abord, puis dans quelques villes. C'est avant tout un organe gouvernemental. Elle devient véritablement « pan-indienne » en 1982 avec le lancement du satellite indien INSAT 1. En 1995, on estime qu'elle touche 85 % de la population et que l'Inde a plus de 60 millions de récepteurs. En une petite dizaine d'années, le paysage télévisuel s'est considérablement diversifié. A côté des chaînes publiques « Doodarshan » (lesquelles se sont multipliées, diversifiées et régionalisées pour faire face à la concurrence), se développe rapidement un nombre croissant de chaînes privées (Star TV, ZEE-TV...). Les chaînes câblées indiennes, et plus encore étrangères (surtout américaines), ne cessent de se multiplier. Des chaînes françaises font même leur apparition sur le marché, comme TV5 et MCM, disponibles sur Asianat 2 en numérique et en clair. Le gouvernement indien tente de mettre en peu d'ordre dans ce foisonnement en favorisant la création d'une Haute Autorité audiovisuelle indépendante en 1997, dans le cadre d'une loi sur l'Audiovisuel inspirée en partie des expériences de la France, des Etats-Unis et de la Grande-Bretagne.

La richesse des cuisines

Il en va un peu de même de la cuisine, qui du Nord au Sud et de l'Est à l'Ouest du pays, s'« indianise », ne serait-ce que parce que les Indiens voyagent de plus en plus à l'intérieur de leur pays, sans perdre ses caractéristiques régionales dont elle est très fière, et dont certaines, loin de disparaître, se renforcent.

Certes, des constantes communes existent partout dans le sous-continent, qui débordent l'Inde : l'usage des épices ou, autre exemple moins connu, le grand usage qui est fait du lait. Comme boisson, mais aussi comme un ingrédient qui entre dans la préparation de multiples desserts ou qui sert à faire macérer des viandes. L'Inde, de ce point de vue, appartient à l'Asie du lait, par opposition au monde chinois qui traditionnellement n'en consomme que très peu. Peut-être est-ce là un lointain héritage de l'Inde védique. En Inde, où les questions de pureté et d'impureté sont très importante en matière culinaire, ce qui est frit dans le lait ou le beurre clarifié est, en effet, toujours conçu comme quelque chose de plus pur que ce qui est bouilli dans de l'eau. Il n'est rien de plus pur que ce qui a été travaillé par le feu. La vache est issue du dieu du feu (Agni) et le lait est donc considéré comme un aliment « cuit ».

Les cuisines de l'Inde n'en sont pas moins très diversifiées selon les régions. Ce qu'on appelle souvent en Europe la cuisine *moglaï*, avec son fameux poulet *tandoori* cuit au four, est en fait essentiellement celle du Nord et du Nord-Ouest de l'Inde, marquée par le souvenir de l'Empire moghol. Le Sud et l'Est du pays ont des plats plutôt composés à base de riz. Mais la diversité culinaire indienne ne s'arrête pas aux régions. Pour les hindous, cuire et manger est une affaire cruciale. En particulier, la place de chacun dans la société en dépend. C'est la personne elle-même, dans son être, qui est menacée à tout moment par l'impureté potentielle de la nourriture. D'où les très grandes précautions que maintes familles, plus ou moins consciemment, prennent quand elles font la cuisine, et qui concernent autant l'attention portée au foyer de la cuisine elle-même, qu'au type de cuisson, aux ingrédients consommés, ou aux convives avec qui on va partager le repas. C'est dire que la cuisine n'est pas seulement une affaire de goût. Elle est toujours un peu une affaire de rites. Elle varie donc selon les familles, les villages, les individus. « Dis-moi ce que tu manges, je te dirai qui tu es », écrivait Brillat-Savarin dans sa *Physiologie du goût*. On pourrait presque avancer que l'Inde recèle autant de cuisines qu'elle a d'habitants...

Le lait est du « cuit »

« Les hymnes védiques célèbrent déjà le paradoxe du lait « cuit » qui est dans les vaches « crues ». Comment cela ? C'est que le lait n'est pas autre chose que le sperme d'Agni et tout ce qui provient d'Agni est cuit par nature. Agni, en effet, crée la vache, et, comme si souvent dans la mythologie védique, désire sa créature : il s'unit à elle et son sperme devient lait : « c'est pourquoi, alors que la vache est crue, le lait en elle est cuit ; car c'est le sperme d'Agni. Et c'est pourquoi aussi il est toujours blanc (comme le sperme), que la vache soit noire ou rouge, et il brille comme le feu, car il est la semence d'Agni. C'est pourquoi il est tiède quand on le trait : car c'est le sperme d'Agni ».

Charles Malamoud, *Cuire le monde*, p. 52.

DEUXIÈME PARTIE

La « plus grande démocratie du monde »

En 1947, quand l'Inde devient indépendante, sa démocratie est déjà le produit d'une longue histoire. Ses racines plongent dans l'épopée du mouvement d'indépendance nationale. C'est au cours de leur lutte contre les Anglais que les Indiens dégagent peu à peu les caractéristiques de leur futur Etat indépendant et de son mode de fonctionnement. Loin d'être une simple greffe de l'Etat colonial, les institutions de l'Inde indépendante et les rouages de son jeu politique correspondent fondamentalement aux intérêts des élites politiques et économiques du pays qui, à la tête du Parti du Congrès, se sont imposées auprès des Indiens dès les lendemains de la première guerre mondiale, notamment grâce à l'action du Mahatma Gandhi.

C'est dans ce cadre que les Indiens parviennent à tirer le meilleur de l'héritage, douloureux pour eux, du colonialisme britannique, lui-même porteur, parfois à son corps défendant, des idées du Siècle des lumières européen. C'est la première raison du profond enracinement de la démocratie en Inde.

La seconde doit beaucoup à la stratégie de développement adoptée par les premiers dirigeants du pays. Les réformes agraires, comme la politique industrielle mise en œuvre, contribuent à porter sur le devant de la scène de nouvelles couches de la population sans briser les grands équilibres sociaux du pays, c'est-à-dire sans remettre en cause l'essentiel du pouvoir des couches dominantes. Dans un premier temps, ces nouveaux arrivants se coulent sans trop de difficultés dans le moule démocratique et parlementaire déjà mis en place, quoiqu'avec leur propre vision des choses et leur propre façon de faire. Depuis ces dernières années, cependant, c'est par dizaines de millions que se comptent les électeurs qui, ayant compris l'intérêt du système démocratique, aimeraient aussi, légitimement, en percevoir les fruits. Ils entrent « en politique », bien sûr avec leurs conceptions et leurs idiomes, qui sont ceux de leur religion et de leur caste. Leur arrivée engendre aujourd'hui de sérieuses tensions politiques.

Paradoxalement victime en quelque sorte de son succès, la démocratie indienne ne pourra sans doute demeurer « la plus grande démocratie du monde » qu'au prix de réajustements importants.

CHAPITRE 5

Les racines du mouvement national

Retracer en quelques pages le long cheminement du mouvement d'indépendance nationale indien est une gageure. Plutôt que de reprendre la longue litanie des dates et des événements constituant l'ordinaire soporifique des manuels d'histoire classiques, il apparaît plus judicieux de sélectionner quelques « moments » significatifs de cette longue, douloureuse et glorieuse histoire. Car c'est ici la trame de l'histoire qu'il faut retenir. Et le rôle d'un prince au crépuscule du XVIIIe siècle, la grande révolte des soldats de la Compagnie britannique des Indes en 1857, la réunion d'une poignée de notables à Bombay en 1885 et leurs furieux débats idéologiques, enfin l'entrée en scène de l'un des personnages les plus fascinants du siècle, le Mahatma Gandhi, en constituent les nœuds essentiels.

Les crocs du tigre

Avec un peu d'anachronisme, on peut faire remonter à la fin du XVIIIe siècle les premiers balbutiements du sentiment national indien quoique, à cette date, l'Inde en tant qu'Etat-nation n'existe évidemment pas encore. L'Empire moghol créé en 1526 par Babur, un roi musulman chassé d'Asie centrale descendant à la fois de Tamerlan et de Gengis Khan, est alors en pleine déliquescence. Une myriade de potentats locaux et de sultans enturbannés, dans le sang des dagues, le cliquetis des épées et la poudre de fusils incrustés d'ivoire, se disputent le pouvoir effectif. Ils ne font allégeance à l'empereur que du bout des lèvres. L'un d'eux, Tipu Sultan (1750-1799), règne sur l'Etat du Mysore, au sud de la péninsule, et s'oppose farouchement à la domination britannique. Il est l'un des premiers à saisir, au moins partiellement, la radicale nouveauté de l'époque coloniale.

Dans ces années-là, la Compagnie britannique des Indes, déjà vieille dame honorable puisque créée en 1600, ne se borne plus à commercer avec l'Inde. Elle contrôle des territoires de plus en plus vastes. A cette fin, elle a levé une armée encadrée par des officiers anglais mais composée de soldats indigènes, les *cipayes*. Elle fait régner dans ses nouvelles possessions un ordre nouveau dont les valeurs et les références, quoique marquées par les réalités indiennes, sont fondamentalement celles de l'Angleterre de l'époque. Ses activités, de mercantiles, deviennent colonialistes. L'Inde est soumise aux exigences et aux besoins d'une puissante nation étrangère. C'est à cette réalité-là, bouleversante pour les habitants de l'époque, que Tipu Sultan est confronté. Contrairement à d'autres rois indiens qui acceptent de collaborer avec les nouveaux intrus, cet homme, à la fois de cour, d'administration et de guerre, décide de s'opposer à leur progression. Un énorme automate, qu'on peut de nos jours admirer dans un musée londonien, symbolise sa détermination : il s'agit d'une grande machine que Tipu Sultan aime tout particulièrement faire remonter devant sa cour ; elle représente un tigre dont les flancs battent à grands coups de soufflet lorsqu'il saisit dans sa gueule un malheureux soldat britannique agitant les bras en signe de désespoir.

Avec intelligence, non sans faire preuve d'imagination dans le domaine de la gestion de son Etat (il développe ainsi la sériciculture et la culture d'avocats qu'il fait importer du Mexique), il retourne contre le conquérant européen certaines de ses armes. Il dote ainsi son armée d'un uniforme et décore ses officiers valeureux de médailles dont l'une représente un tigre – l'emblème de *son* pouvoir – plantant ses crocs dans la gorge d'un lion couché sur le dos. Les Britanniques, vexés, font immédiatement fondre une médaille représentant un lion – l'emblème de *leur* pouvoir – saisissant un tigre à la gorge. L'homme cherche également à unir contre le nouvel occupant ses sujets hindous et musulmans. Cherchant par tous les moyens à bouter l'Anglais hors de l'Inde, il écrit à Louis XVI puis à Napoléon pour leur demander de l'aider. Parvenant à freiner l'avancée des troupes de la compagnie, il succombe finalement devant ses agresseurs et meurt en 1799 à la bataille de Seringapatam, en défendant sa citadelle qu'on peut encore visiter dans l'Etat actuel du Karnataka, non loin de la ville de Mysore.

Nombre d'Indiens aiment à voir en lui l'un des tout premiers combattants d'une ère nouvelle, celle de la lutte pour l'indépendance. Pas tous, cependant. Car Tipu Sultan n'est guère tenu en odeur de sainteté par les nationalistes hindous d'aujourd'hui, qui préfèrent mettre l'accent sur *leurs* héros hindous, notamment Shivaji (1630-1680), le fondateur de l'Empire marathe, l'un des principaux opposants à la politique d'expansion de l'empereur moghol Aurangzeb (1658-1707). Qu'un musulman puisse constituer l'une des premières figures de la lutte anti-coloniale irrite le chauvinisme hindou. C'est ainsi qu'un film récemment réalisé pour la télévision indienne sur la vie de Tipu Sultan engendra une vive polémique en Inde.

La révolte des *cipayes*

Près de six décennies après la mort de Tipu Sultan, l'Inde est tout entière passée sous le contrôle de la Compagnie des Indes, qui l'administre généralement avec rapacité et brutalité. Fondamentalement, la période est celle d'un appauvrissement de l'Inde sur le plan économique, même si de nouvelles idées, issues du Siècle des lumières européen mais mâtinées de racisme, y déposent les germes féconds d'une future modernité. En 1857, le pays est secoué par une immense révolte qui libère la plupart des grandes villes du Nord. Elle éclate parmi les soldats indiens de la Compagnie des Indes, hindous comme musulmans, qui décident de porter à leur tête le vieil empereur moghol Bahadur Shah, le toujours mais très théorique souverain de l'Inde. Pour les Anglais de l'époque, il ne s'agit que d'une mutinerie, dite révolte des *cipayes*. Celle-ci aurait été provoquée par le refus de ces derniers de décapsuler à la bouche les cartouches du nouveau fusil *Royal Enfield* sous prétexte qu'elles contiennent de la graisse de porc et de vache, animaux dont la consommation est bannie tant par la communauté musulmane que par la communauté hindoue. A supposer qu'elle fût vraie, cette explication met en évidence le profond sentiment d'altérité des Anglais, ces mangeurs de porcs et de vache, vis-à-vis d'une population pour laquelle les habitudes alimentaires et culinaires constituent l'une des bases des comportements sociaux et religieux les plus quotidiens.

Pour l'historiographie indienne au contraire, la révolte de 1857 consacre la naissance du mouvement nationaliste de l'Inde moderne. A la volonté délibérée du colonisateur de réduire un événement majeur à la dimension d'une anecdote répond ainsi celle, non moins construite, des dirigeants indiens d'en faire l'acte fondateur de la lutte d'indépendance nationale. Les historiens adoptent une attitude plus équilibrée. D'un côté, il est clair que le mouvement de 1857 excède la dimension d'une simple mutinerie de *cipayes*. Elle présente un réel aspect populaire et l'une de ses caractéristiques est de rassembler côte à côte hindous et musulmans derrière la bannière du vieil Empire moghol qui, bien qu'il soit agonisant, n'offre pas moins l'intérêt de constituer une référence non européenne ancrée dans l'histoire indienne. De l'autre, il est tout aussi évident que les élites princières animant le mouvement – nombre de princes préférant d'ailleurs rallier le camp britannique – représentent une aristocratie déclassée, « tirant » le pays vers le passé plus que vers l'avenir. Dans l'un de ses films réalisé en 1977, *Les Joueurs d'échecs*, le cinéaste bengali Satyajit Ray montre deux de ces princes raffinés et décadents s'épuisant à jouer aux échecs tandis que les troupes britanniques prennent possession de leurs terres. A ce titre, la grande révolte de 1857 pourrait tout aussi bien marquer la fin d'un monde, celui de l'Inde « féodale » de l'époque pré-coloniale, que l'aube d'un monde nouveau, celui de l'Inde indépendante.

Quoiqu'il en soit, les événements de 1857 sont importants. Ils obligent la monarchie britannique à prendre sous son contrôle direct

L'échec de la grande révolte de 1857

« Dès le 8 juillet 1858, le gouverneur général Lord Canning proclamait le rétablissement de la paix. En fait, des combats se poursuivirent dans plusieurs régions pendant près d'une année, mais l'échine du soulèvement était brisée. Les forces britanniques contrôlaient les principaux axes de communication et partout des tribunaux rendaient une justice sommaire à l'égard de tous ceux qui étaient soupçonnés d'avoir participé au soulèvement, voire de simple sympathie pour les mutins, et ordonnaient des milliers d'exécutions. Les victimes de la répression britannique furent cependant beaucoup plus nombreuses ; les colonnes anglaises brûlèrent parfois systématiquement les villages et massacrèrent la population mâle. Outre des pertes humaines qui se comptèrent sans doute en centaines de milliers, le soulèvement laissa derrière lui une vague de destructions dans les campagnes et les villes : bâtiments officiels et bungalows résidentiels incendiés par les révoltés, nombreuses demeures rasées par les troupes anglaises. Sans parler des biens confisqués par les autorités britanniques, dont certains furent donnés en récompense aux éléments restés loyaux. Beaucoup de fortunes indiennes actuelles ont leur origine dans la collaboration à la répression du soulèvement ».

Claude Markovits, *Histoire de l'Inde moderne 1480-1950*, p. 343.

l'administration du pays. En 1858, la compagnie est démantelée et l'Inde devient officiellement une colonie de la Couronne. Elle sera dès lors administrée par un représentant direct de cette dernière. En 1877, la reine Victoria se fera nommer impératrice des Indes, tandis qu'un vice-roi règne sur place en son nom. Bref, une nouvelle étape de l'histoire de l'Inde commence, celle de la colonisation au sens politique et juridique du terme et non plus seulement économique. En retour, elle suscite un essor, cette fois-ci radicalement nouveau, du mouvement national.

La création du Parti du Congrès

Le jalon le plus significatif est celui de la création du Parti du Congrès, *l'Indian National Congress*, en 1885 à Bombay. Une nouvelle élite indienne, rompant avec celle, princière, du passé, plus urbaine et marquée par les valeurs du colonisateur, se donne l'outil nécessaire à l'émancipation future du pays : un parti politique. Certes, elle ne demande pas encore l'indépendance. Elle exige seulement des Britanniques qu'ils traitent avec équité et décence leur colonie. Il n'empêche qu'un processus décisif s'est enclenché. Alors que, autour de la même époque, se forment aux Etats-Unis les embryons des deux grands partis républicain et démocrate d'aujourd'hui, le Parti travailliste en Grande-Bretagne et le Parti radical en France, l'Inde, qui n'est pourtant qu'une colonie, se forge avec le Parti du Congrès l'instrument essentiel de son futur destin démocratique.

Deux tendances s'y heurtent rapidement, schématiquement qualifiées l'une de « modérée », l'autre de « révolutionnaire » ou « d'extrémiste ». Les « modérés » se contentent, ce qui est déjà beaucoup à l'époque, de revendiquer plus d'autonomie et de justice dans le cadre de l'empire, jugé apte à aider l'Inde à sortir de son arriération. Ils développent un ensemble d'idées démocratiques et laïques très en avance sur leur temps en reprenant à leur compte les aspects modernisateurs de la colonisation issus du Siècle des lumières. Les seconds entendent donner au programme congressiste un tour nettement indépendantiste. Pour ce faire, ils n'hésitent pas à valoriser les aspects les plus rétrogrades de la réalité sociale et religieuse de leur pays. Au fond, ils pensent que c'est en mobilisant les passions religieuses hindoues qu'on parviendra à se débarrasser de la tutelle étrangère. Ce qui heurte les sentiments de la communauté musulmane et divise le Parti du Congrès. Le conflit, inévitable, a lieu en 1907. Il engendre la première scission du Congrès. Les « modérés », qui contrôlent les commandes du parti, parviennent à provoquer le départ des « extrémistes ».

Mise aujourd'hui en perspective, la victoire des « modérés » se révèle singulièrement importante. En marginalisant dès le début du siècle les nationalistes hindous au sein du mouvement d'indépendance nationale, elle permet de jeter les bases du futur Etat démocratique et laïc indien. Mais, sur le moment, le conflit entre les deux tendances opposées du Parti du Congrès épuise le mouvement plus qu'il ne l'enrichit. Il reste confiné dans des cercles intellectuels somme toute restreints et ne permet pas à la direction congressiste de mobiliser les masses rurales, seule façon de faire plier la domination britannique.

L'entrée en scène de Mohandas Karamchand Gandhi (1869-1948), respectueusement et affectueusement appelé le Mahatma (la « grande âme ») par les Indiens, modifie soudain les choses. Gandhi rentre en Inde en 1915 après avoir passé près de vingt ans de sa vie en Afrique du Sud. Il s'y est acquis la solide réputation de défendre avec abnégation et rectitude les intérêts de la minorité indienne. Il utilise des mots et des images qui

« parlent » aux millions de paysans indiens. Il transforme le Parti du Congrès, qui continuera à être dirigé par des notables, en véritable parti de masse.

Gandhi entre en scène

Il serait sans aucun doute illusoire de vouloir résumer en quelques lignes l'action pragmatique et la pensée éclectique d'un homme aussi complexe que M. K. Gandhi. Certains, sans doute, gardent en mémoire

Les parents de Gandhi

« Les Gandhi sont de la caste marchande des *Banya*. Il semble que c'était à l'origine des épiciers. Mais durant trois générations, à compter de mon grand-père, ils fournirent des Premiers ministres à plusieurs Etats du Kathiyavar [région située sur la côte ouest de l'Inde, dans l'Etat du Gujerat] (...). Kaba Gandhi était mon père. Il était membre du tribunal rajasthanique. C'est maintenant une institution disparue, mais qui était dans ce temps-là très influente, en ce qui concernait le règlement des disputes entre chefs et hommes de leur clan (...). De ma mère, ma mémoire garde surtout l'impression d'une sainte. Elle était profondément religieuse. Elle n'aurait jamais songé à prendre des repas sans avoir fait ses prières quotidiennes (...). Son choix allait aux vœux les plus difficiles et elle les observait inflexiblement ».

M. K. Gandhi, *Autobiographie ou Mes expériences de vérité*, p. 9.

Gandhi en Afrique du Sud

« Lorsque Gandhi débarqua à Durban, Natal, au mois de mai 1893, il avait uniquement pour mission de gagner un procès, de se procurer un peu d'argent et, peut-être, en fin de compte, de commencer sa carrière [d'avocat] : « Je tente ma chance en Afrique du Sud ». Quand il quitta le bateau pour rencontrer son employeur, un commerçant musulman nommé Dada Abdulla Sheth, Gandhi portait un habit à la mode, un pantalon bien repassé, des souliers brillants et un turban (...). Le procès exigeait la présence de Gandhi à Prétoria, capitale du Transvaal. On acheta pour lui à Durban un billet de première et il prit le train pour un voyage de nuit. A Maritzbourg, un blanc entra dans le compartiment et, voyant l'intrus à peau brune, se retira pour reparaître un moment plus tard avec deux employés du chemin de fer qui ordonnèrent à Gandhi de déménager dans le fourgon. Gandhi protesta en disant qu'il avait un billet de première. Cela ne fit aucun effet. Il fallait qu'il sortît. Il resta. Alors on alla chercher un policeman qui le jeta dehors avec ses bagages (...). Bien des années plus tard, aux Indes, le Dr John R. Mott, un missionnaire chrétien, demanda à Gandhi : « Quelles ont été les expériences les plus décisives de toute votre vie ? » En réponse, Gandhi lui raconta ce qui s'était passé cette nuit-là à la gare de Maritzbourg ».

Louis Fischer, *La Vie du Mahatma Gandhi*, Belfond, Paris, 1983, p. 46.

le film *Gandhi* d'Attenborough, sorti en 1983. Rageusement, dans une critique dévastatrice publiée dans son livre *Patries imaginaires*, l'écrivain Salman Rushdie commenta alors : « Pour que *Gandhi* plaise au marché occidental, il fallait le sanctifier et le transformer en Christ – un destin étrange pour un avocat rusé gujarati – et il fallait broyer l'histoire d'une des plus grandes révolutions du siècle. Il n'y a rien de nouveau. Cela fait des siècles que les Britanniques broient l'histoire de l'Inde ». Pour injuste qu'elle soit concernant un film qui sut mettre en images pour le monde occidental la vie de l'un des hommes politiques les plus extraordinaires du siècle, la critique de l'écrivain indo-anglais n'en contient pas moins sa part de vérité : il est vrai, en effet, que le Mahatma n'est pas un nouveau Christ, et ne chercha jamais à le devenir. On peut partir de là pour chercher à comprendre le sens et la portée de son action.

Gandhi est un homme profondément inscrit dans son univers indien ; et pas seulement indien, mais hindou. Il s'agit là d'un monde où la notion de sacrifice est essentielle. C'est autour du sacrifice que s'organisent les rites essentiels du mode de vie hindou. Cela était le cas du temps des textes sacrés anciens, les *Veda*. Cela l'est encore dans l'Inde que retrouve Gandhi à son retour d'Afrique du Sud. A cette date, on ne sacrifie plus au sens strict du terme que rarement et le don est adopté comme un substitut au sacrifice. Il revient, en France, à un professeur de l'Institut des langues et civilisations orientales, Catherine Weinberger-Thomas, de l'avoir montré dans un livre fort, *L'Ashram de l'amour*, consacré à l'analyse de l'œuvre littéraire du plus grand écrivain gandhien de langue hindi de l'entre-deux-guerres, Premchand. Celui-ci dépeint, dans un roman écrit au moment où les idées de Gandhi prennent leur essor, un grand propriétaire absentéiste (un *zamindar*), distribuant ses richesses « comme ce qu'il avait de plus salutaire ». Gandhi opère en fait comme ce *zamindar*. En se sacrifiant corps et âme pour la cause nationale de l'Inde, il fait littéralement don de sa personne. Sa vie même est un sacrifice bien qu'il ne s'agisse en rien d'un sacrifice de type chrétien. Gandhi ne fait pas don de sa personne pour, à l'exemple du Christ, racheter les hommes de leurs péchés mais afin de rétablir l'ordre du monde socio-cosmique et au premier chef celui de l'Inde, menacé par le pouvoir étranger. En quelque sorte, Gandhi agit comme tout bon hindou, redevable de ses actions présentes et passées, devrait le faire. Il paye tout simplement la dette personnelle qu'il a contractée vis-à-vis de cette société conçue comme un tout. Gandhi le dit avec simplicité dès 1924 : « Le fait de me mettre au service de la cause nationale fait partie de mon expérience de vie destinée à libérer mon âme du servage de ma chair. Ce qui, dès lors qu'on le considère ainsi, peut être regardé comme purement égoïste ».

Gandhi confond donc intimement à chaque instant de son existence les divers niveaux de sa vie privée et publique. La première constitue à la fois l'illustration et le ressort de la seconde. Sa délivrance personnelle, que lui confère le don de soi, est, dans cette logique, de la même nature que celle qui lui permet de délivrer son pays du joug colonial. Prenons pour exemple la non-violence, une méthode éminemment politique qui consiste à chasser les Anglais de l'Inde sans recourir à la lutte armée ou au terrorisme, et la chasteté, une pratique tout à fait personnelle. Gandhi mélange intimement ces deux notions. Pour lui, et il s'en explique à maintes reprises dans ses écrits, le vœu de *brahmacharya* ou d'abstinence sexuelle qu'il prononce à un moment de sa vie (il approche alors de la quarantaine et a trois fils) lui permet, dit-il, de retenir en lui le « fluide vital » qui sinon s'écoule de l'homme, et de transformer ces non-pertes de substance en force active au service de la cause nationale. Plus fort, car plus chaste, il pourra se consacrer entièrement à son salut *et* au service de la cause nationale. Ce faisant, Gandhi n'appelle pas les Indiens à faire comme lui dans la vie privée ; chacun, dit-il, dispose en lui-même des ressources aptes à forger son propre destin, et c'est à chacun de faire de son mieux. Mais il les incite dans leur vie publique, c'est-à-dire politique, à emprunter un chemin aride : délivrer le pays non seulement de la violence colonialiste qui l'étouffe, mais de la violence collective que tout peuple dominé peut être tenté de retourner contre l'occupant, et donc au fond contre lui-même. C'est ainsi que le salut de l'Inde, comme celui de chaque Indien, passe par la non-violence. Celle-ci n'est pas seulement une technique de lutte au sens trivial du terme, elle est l'instrument même de la libération de l'Inde, de sa *délivrance* à la fois de la domination étrangère et de ses propres pulsions. En supprimant la pulsion négative inhérente à la violence pour la placer, une fois transformée en non-violence, au service de l'indépendance nationale, l'Inde et ses habitants pourront véritablement se donner les moyens de recouvrer leur dignité et leur vitalité perdues. On comprend dès lors l'absolue fermeté et rectitude morale avec lesquelles Gandhi va se battre pour ses idées : l'homme est armé du courage à tout épreuve que lui donnent ses convictions les plus intimes. Les mots de tous les jours qu'il emploie, la simplicité affichée de sa vie, les symboles qu'il manie, les pensées qu'il agite, les actions qu'il préconise, tout cela parle immédiatement à son peuple, majoritairement hindou comme lui et contraint par la misère et le dénuement à l'austérité, la souffrance et la soumission.

Le charisme de Gandhi

Et ce d'autant plus que Gandhi, avec une facilité déconcertante, n'hésite pas à mettre à nu sa vie et ses « fautes », même les plus secrètes C'est ainsi qu'il révèle dans son *Autobiographie* les raisons d'ordre psychanalytique qui l'ont incité à faire vœu de *brahmacharya*. Gandhi était alors très jeune, et, comme tout Indien de sa génération, avait été marié de façon arrangée par sa famille. La nuit où son père mourut, explique-t-il, il préféra retrouver au lit sa jeune femme plutôt que de rester au chevet paternel. Il en retira, écrit-il, un tel sentiment de culpabilité qu'il fit plus tard vœu de chasteté. C'est à peu de choses près le cas de figure de l'une des premières psychanalyses de Sigmund Freud. Ce n'est pas tant l'anecdote qui est significative que le fait qu'un dirigeant politique de premier plan choisisse de la raconter dans un livre à vocation politique. Le phénomène est quand même assez rare pour être noté. En fait, il est dans cette façon de faire quelque chose de profondément hindou. D'une part, le maître, pour se

« La mort de mon père »

« Il était dix heures et demie ou onze heures du soir. J'étais en train de masser mon père. Mon oncle s'offrit à me relever. J'acceptai sans me faire prier et gagnai aussitôt ma chambre à coucher. Ma femme, la pauvre, dormait profondément. Mais qui était-elle de dormir, quand j'étais là ? Je la réveillai. Au bout de cinq ou six minutes, cependant, le serviteur vint à frapper à la porte. Je sursautai, pris de crainte.

Levez-vous, me dit-il. (…). Le père n'est plus.

Ainsi, tout était fini ! Je n'avais plus qu'à me tordre les mains. Je me sentais couvert de honte et malheureux. Je courus à la chambre de mon père. Je compris que, si la passion bestiale ne m'avait aveuglé, la torture d'avoir été loin de mon père, à ses derniers moments, m'eût été épargnée (…). C'est là une tache que je n'ai jamais pu effacer ni oublier (…). Je me suis donc toujours considéré comme un mari appesanti de désir charnel, quand bien même fidèle. Il m'a fallu longtemps pour me libérer des chaînes du désir, et j'ai dû, avant de le vaincre, passer par maintes épreuves (…). Qu'on me permette de dire ici que le pauvre enfant chétif que ma femme mit au monde ne vécut guère plus de trois ou quatre jours. Pouvait-on s'attendre à autre chose ? Que mon exemple soit un avertissement pour tous les ménages ».

M. K. Gandhi, *Autobiographie ou Mes expériences de vérité*, p. 43.

faire comprendre de ses disciples, ne doit pas hésiter à se livrer tel qu'il est. Le lien pédagogique hyper-individuel noué entre le premier et les seconds l'exige. Il en va de même entre Gandhi et les Indiens : le discours gandhien constitue une véritable pédagogie de la libération. En parlant de lui, Gandhi aide les Indiens à faire leur introspection et à trouver les moyens de leur dépassement. D'autre part, Gandhi, en faisant part de façon très crue de ses faiblesses, se place lui-même en quelque sorte dans la position d'un malade parlant à son psychanalyste. Avec une chose étonnante, tout de même : c'est que le personnage du psychanalyste est absent dans la relation qu'entretient Gandhi avec ses pulsions, ou plutôt – et c'est là ce qui est très spécifique – tout se passe comme si c'était l'Inde elle-même, devant laquelle s'exprime Gandhi, qui était chargée de remplir la fonction du psychanalyste manquant. En essayant d'exposer le plus franchement possible son intimité et les difficultés qu'il éprouve à dépasser ses propres faiblesses ou à surmonter ses limites, Gandhi cite en fait à son chevet les Indiens eux-mêmes. Ce faisant, il leur explique sa « maladie », qui n'est autre que celle de l'Inde, malade de la domination étrangère, humiliée par le colonialisme, maltraitée par le racisme. En leur exposant en termes concrets ce qui se passe en lui, Gandhi leur parle d'eux, de leur misère, de leurs difficultés, de la dignité qu'ils se doivent de reconquérir, et ainsi les révèle à eux-mêmes. Cette révélation les transforme, les met en situation de pouvoir éventuellement guérir leurs maux. C'est une sorte de cure à la fois collective et individuelle qui place tous ceux qui viennent en masse s'y frotter comme en transe. Et cette transe n'est rien d'autre que celle du mouvement d'indépendance nationale... On touche sans doute là au ressort profond du charisme de Gandhi, sans lequel l'Inde n'aurait pu, comme elle l'a fait, gagner l'indépendance. Quand, au milieu des années 1920, Gandhi devient sans conteste le principal dirigeant du Parti du Congrès, son intrusion dans le jeu politique scelle de façon irrémédiable la chute du colonialisme britannique. Le reste ne sera plus que la résultante de rapports de force évoluant avec le temps entre Indiens et Britanniques : ce sera la longue chronique de la lutte d'indépendance nationale qui, de grèves en rassemblements, de mouvements de non-coopération civile en tables rondes, de vagues d'arrestations en vagues de libérations, conduira l'Inde à l'indépendance.

On aurait tort, toutefois, de réduire Gandhi à un seul manieur de symboles et de discours, même s'il fut dans ce domaine extraordinairement inventif. M. K. Gandhi, « avocat rusé » issu d'une caste de commerçants du Gujerat, est aussi un homme très pragmatique. Il est l'homme du détail, de l'organisation méticuleuse des manifestations, de la rédaction précise des programmes. Son personnage ne correspond pas à l'image du sage éthéré que certains entretiennent dans le monde occidental. La simplicité quotidienne de sa vie ne saurait non plus masquer le soutien que lui apportent les grands industriels, au premier chef le très puissant G. D. Birla. Gandhi ne répond pas non plus à l'image, trop souvent faussement véhiculée, d'un homme hostile à la science et à la technicité. Il est vrai que Gandhi n'aime pas la civilisation matérialiste et industrielle qui tend, selon lui, à pervertir aussi bien l'Occident et l'Orient. Il est vrai qu'il exalte le mythe d'une Inde rurale dont l'âge d'or serait celui du règne des villages. Mais il ne s'oppose pas à la science. Au contraire, il y fait souvent référence, ne serait-ce que dans le titre déjà cité de son ouvrage, *Mes expériences de vérité*. Le terme « expérience » ne vient pas là par hasard. Gandhi ne cesse, en tant que dirigeant nationaliste, de considérer l'Inde comme un vaste laboratoire destiné à tester la justesse de la politique congressiste qu'il préconise. En témoigne la façon méticuleuse, très « sociologie américaine », avec laquelle il lance chaque grand soulèvement populaire contre les Britanniques. Il procède par échantillons, attendant de voir l'effet produit dans une petite zone sélectionnée avec soin pour étendre le mouvement à l'Inde entière. La démarche est prudente, calculatrice, profondément rationnelle et, de fait, Gandhi appartient à sa façon à la grande tradition rationaliste issue du Siècle des lumières, importée en Inde dans les bagages du colonisateur. C'est sans doute en partie pour cette raison qu'il n'a aucun mal à s'inspirer des expériences étrangères et des philosophies européennes pour peaufiner son action. L'homme est éclectique, et ne s'en cache pas. L'hindouisme fascine sa passion religieuse et intellectuelle, mais la lecture de la Bible, tout comme celle de Tolstoï, lui semblera toujours susceptible de faire l'objet de symbioses avec l'hindouisme. Ce sont précisément ces aspects modernisateurs et symbiotiques de sa pensée qui lui font prendre en 1946, à la veille de l'indépendance, l'ultime grande décision politique de sa vie : Gandhi confie à Jawaharlal Nehru, le plus socialisant et anglicisé des dirigeants congressistes, le soin de diriger le premier gouvernement provisoire de la future Inde indépendante. Nul, alors, ne peut contester au sein du Congrès la volonté de Gandhi. Celui-ci aurait pu opter en faveur de V. Patel, le très hindou porte-parole de l'aile droite du Parti du Congrès alors quasiment aussi influent que Nehru. Ce n'est pourtant pas ce qu'il fait, et il n'indiquera jamais les raisons de sa motivation. Pour ce choix, et pour toutes ses prises de position répétées en faveur de l'unité entre hindous et musulmans, le Mahatma s'attire la haine profonde des extrémistes hindous. Il est assassiné par l'un d'entre eux, le 29 janvier 1948. Près de six mois auparavant, dans la nuit du 15 août 1947, à minuit précis, Nehru avait proclamé l'indépendance de l'Inde.

CHAPITRE 6

Les fondements de la République indienne

Le 26 janvier 1950, l'Inde adopte sa Constitution. Pendant trois ans, avec soin et passion, les membres de l'Assemblée législative, élue en 1946, font œuvre de constituants. Leur travail engendre l'un des textes constitutionnels les plus longs du monde, un véritable livre de près de 400 pages. On dit souvent qu'elle copia le modèle britannique. C'est en partie inexact. Elle s'en inspire, mais ses institutions et le fonctionnement de son jeu politique ne sont pas le simple décalque d'une expérience étrangère. L'Inde se forge avec minutie un cadre institutionnel destiné à répondre à ses propres exigences.

La Constitution de 1950

Elle confère à la République indienne un cadre à la fois unitaire et fédéral. Mais c'est l'unité qui prime. Comme l'affirme la Constitution, «l'Inde, c'est-à-dire *Bharat* [nom du premier roi ayant jeté, selon la légende, les fondations du pays], est une union d'Etats». Certes, l'Inde a une Constitution de type fédéral, mais sa fédération n'est pas le produit d'un accord entre Etats. Elle se pose donc d'emblée comme une et indestructible. Comme le soulignent les constituants de 1950, même s'il s'avère que le pays se trouve divisé en différents Etats pour des raisons de commodité de gestion, le pays constitue un tout, et son peuple est un seul peuple vivant sous un seul *imperium* dérivant d'une même source. La République indienne se pose donc comme l'héritière des grandes tentatives impériales (bouddhiste sous l'empereur Ashoka, musulmane durant le règne moghol, coloniale avec les Britanniques) ayant, au cours de l'histoire, contribué à fonder ses *limes* d'aujourd'hui.

A la tête de l'Union, le Premier ministre dirige le gouvernement. Leader de la majorité parlementaire, il est responsable devant l'Assemblée du peuple (*Lok Sabha*) qu'il peut dissoudre. Il est le véritable chef de l'exécutif. Le président de la République incarne l'Etat-nation. Il n'exerce les pouvoirs qui lui sont conférés qu'au nom du Premier ministre. Il est d'ailleurs formellement lié à l'avis du chef du gouvernement depuis le 42e amendement constitutionnel de 1976. Il est élu tous les cinq ans par un collège composé des membres des deux Chambres du Parlement central et des députés des Assemblées des Etats (*Vidhyan Sabha*), chaque électeur présidentiel étant doté d'un nombre de voix proportionnel à celui des électeurs de sa circonscription. L'organe législatif de l'Union, le Parlement, est composé de deux Chambres, l'Assemblée du peuple (*Lok Sabha*) et la Chambre haute (*Rajya Sabha*). La réalité du pouvoir est détenue par la première. Les députés de l'Assemblée du peuple jouissent en Inde d'un grand prestige. Etre un «M. P.» (*Member of Parliament*) est une fonction très prisée. Quant au pouvoir judiciaire, avec ses *High Courts* provinciales et sa Cour suprême siégeant à New Delhi, capitale politique et administrative de l'Union, il bénéficie de l'indépendance caractérisant les grandes démocraties politiques.

A la date de 1999, l'Inde constitue une fédération découpée en vingt-six Etats (*Pradesh*) et six Territoires de l'Union (*Union Territories*) aux pouvoirs moins étendus. Chaque Etat dispose de son Assemblée législative (*Vidhyan Sabba*) dont les élus, les «MLA» (*Member of Legislative Assembly*) bénéficient d'une grande influence locale. Il est dirigé par un *Chief minister*, sorte de Premier ministre provincial responsable devant son Assemblée. Il est nommé par un gouverneur qui, incarnant l'Union (il est nommé par le président de la République), siège dans la capitale de l'Etat. Comme le président de la République, le gouverneur a en réalité peu de pouvoirs car il se doit de désigner comme *Chief minister* le leader de la majorité parlementaire à la *Vidhyan Sabha* et de le laisser gouverner normalement selon les règles du jeu parlementaire.

Plusieurs dispositions constitutionnelles confèrent au fédéralisme indien un cadre plus centralisateur que décentralisateur. Les lois relatives aux questions d'intérêt national comme la défense, les affaires étrangères, l'énergie atomique, la monnaie, les communications nationales et certains pans de la fiscalité, sont réservées à la compétence exclusive du Parlement de l'Union. Les Assemblées des Etats disposent, quant à elles, de la compétence exclusive dans des domaines comme l'ordre public, la police et les prisons, les communications provinciales et locales, le contrôle des prix. Une liste de compétences dite « concurrente » concerne le Code pénal, la détention préventive pour raison de sécurité, le mariage et le divorce, les conflits du travail. En cas de « chevauchement inconciliable » des compétences, la primauté est donnée au Parlement central, qui se voit par ailleurs automatiquement accorder le « pouvoir résiduel » de légiférer dans tout domaine ne figurant sur aucune liste. Surtout, lorsque le gouvernement central estime que le gouvernement d'un Etat n'est plus en mesure de fonctionner correctement, il peut, sur simple rapport du gouverneur, proclamer la *President's rule* dans l'Etat concerné. C'est la fameuse « règle présidentielle » de l'article 356 de la Constitution. L'Assemblée de l'Etat est alors dissoute et, jusqu'à de nouvelles élections devant être normalement organisées dans l'année, l'administration de l'Etat passe sous le contrôle de New Delhi. Enfin, en cas de crise, l'Etat central peut proclamer l'état d'urgence au titre de l'article 352 de la Constitution, s'il estime que la sécurité du pays ou d'une partie du pays est menacée. L'état d'urgence a des effets singulièrement restrictifs dans le domaine des libertés fondamentales du citoyen, et supprime quasiment toutes limites au pouvoir exécutif et législatif de l'Union. Le centralisme de l'Union et la concentration des pouvoirs entre les mains de l'exécutif sont alors portés à leur comble. L'état d'urgence fut proclamé par Nehru au moment de la guerre sino-indienne de 1962. Cela n'eut pas de conséquences pratiques. L'état d'urgence proclamé par Indira Gandhi en 1975, levé en 1977, eut en revanche des conséquences beaucoup plus graves : il engendra durant deux ans un régime quasi dictatorial.

Le « système congressiste »

Pendant près de trois décennies, l'Inde offre au monde l'image d'une démocratie extraordinairement stable. La longue domination d'un seul Parti, le Parti du Congrès, qui gouverne le pays sans interruption

Etats et territoires de l'Union

de 1947 à 1977, ne porte pas atteinte à la démocratie, hormis pendant la période exceptionnelle de 1975-1977. Le phénomène surprend alors d'autant plus les observateurs que l'Inde est un pays pauvre et que la démocratie semble être un luxe que seuls les pays développés peuvent s'offrir. Il étonne moins, cependant, quand on essaye de décortiquer le système politique dont l'Inde se dote dès les premières années de son indépendance. On l'appelle, à la suite du politologue indien Rajni Kothari qui lança l'expression dans les années 1960, le « système congressiste ».

Le Congrès est en effet un parti très divers, au fonctionnement interne très souple, divisé en nombreuses tendances internes faisant office de véritables organisations partisanes. Ces tendances n'hésitent pas à tisser des liens avec les petits partis d'opposition quand elles estiment que la politique du gouvernement s'écarte trop de leurs souhaits, les partis d'opposition comptant sur ce soutien pour essayer, eux aussi, d'infléchir la politique gouvernementale dans le sens qu'ils préconisent. Des rapports à la fois consensuels et conflictuels se développent ainsi entre le Parti du Congrès et les partis d'opposition, incitant la direction du Congrès et de l'Etat à mener une politique située toujours le plus près possible du centre de gravité du « système congressiste ». Cette politique fut sensiblement plus marquée à gauche qu'à droite durant toute l'ère Nehru et une partie du règne d'Indira Gandhi.

Cependant, plus on se rapproche des réalités locales, moins les débats sont politiques et plus les questions de personnes l'emportent. A la base, le Congrès cherche avant tout à capter ce qu'on appelle des « banques de votes », sorte de viviers d'électeurs contrôlés par les notables locaux. Ceux-ci, courtisés par telle ou telle faction du parti dont ils se servent en retour pour conforter leur position, sont placés au cœur de puissants réseaux clientélistes que le Congrès utilise pour, en les agglutinant au gré des conditions régionales, gagner les élections et gouverner. Certains parviennent à devenir de véritables « barons » à la tête de leur province et au sein de l'appareil congressiste ; le Premier ministre doit les traiter avec grande attention. Mais les notables en perte de vitesse doivent implacablement céder la place aux nouvelles personnalités montantes.

Avec pragmatisme, le Parti du Congrès assure ainsi la pérennité de son pouvoir et le renouvellement de ses élites dont la concurrence devient l'une des bases de la démocratie.

Cela fonctionne bien tant que le Congrès parvient à se ménager le soutien des hautes castes (*varna*) et des castes (*jati*) dominantes locales d'une part, et celui des minorités constituées par les « intouchables », les populations tribales et les musulmans d'autre part. Les premières sont attirées par un parti dont les objectifs et le mode de fonctionnement correspondent à leurs intérêts. Les secondes voient dans le Congrès la seule force capable, notamment parce qu'elle est au pouvoir, de prendre les mesures aptes à répondre à certaines de leurs revendications. L'électorat « intouchable » et tribal apprécie la politique de quotas appliquée en sa faveur, et les musulmans la politique laïque du Congrès. En outre, une grande partie de l'opinion publique reste attachée à la tonalité socialisante du discours officiel congressiste jusque dans la moitié des années 1980. Beaucoup gardent le souvenir positif de l'image du Mahatma Gandhi et du rôle du Congrès pendant la lutte d'indépendance. Cette mémoire collective est systématiquement entretenue par tous les dirigeants locaux et nationaux alors même que la politique congressiste est assez éloignée des idéaux de Gandhi. Mais la génération des « enfants de minuit » recouvre encore, jusqu'aux années 1970, celle des « *freedom fighters* », des combattants de la libération, qui n'est alors pas encore éteinte.

Le vêtement de l'« homo politicus »

La façon de se vêtir de la plupart des dirigeants politiques indiens sollicite directement le souvenir de la lutte d'indépendance nationale, lorsqu'il s'agissait de défendre la production des entreprises nationales contre celle de l'industrie britannique. Le Parti du Congrès avait alors préconisé le port de tissu fabriqué à la main à partir de fils de coton ou de soie tissée de façon artisanale, le *khadi*. Aujourd'hui encore, l'« homo politicus » indien s'habille « *khadi* ». Il soigne particulièrement sa tenue quand il est en tournée électorale ou risque d'être photographié. Comme pour incarner la simplicité du peuple et affirmer son « indianité », « l'homo politicus » indien en est ainsi venu à adopter un mode d'habillement qui tend à s'éloigner de plus en plus de celui des habitants, notamment dans les villes. Loin de « faire pauvre », le *khadi* en vient aujourd'hui à « faire chic ». Etrange retournement de situation qui voit le politicien indien porter un uniforme pour s'identifier à son peuple qui n'en porte pas.

La défense éclairée des possédants

Le tableau des principaux fondements de la République indienne serait incomplet s'il n'évoquait pas, même succinctement, le rapport des forces économico-sociales durant les premières années de l'indépendance. A cette date, trois composantes sociales dominantes constituent une sorte de bloc au pouvoir, composite et hétérogène, traversé par des conflits internes, mais sachant se retrouver sur l'essentiel : la défense éclairée des intérêts des possédants.

La première est principalement composée de propriétaires tirant l'essentiel de leurs revenus d'une terre qu'ils ne cultivent pas eux–mêmes. L'un des meilleurs spécialistes de l'Inde agraire de cette époque, Daniel Thorner, qui enseigna longtemps à l'actuelle Ecole des hautes études en sciences sociales de Paris, propose de les appeler par le nom utilisé par les Indiens, notamment au Nord de l'Inde, celui de *malik* ou de maître. Jusque dans les années 1960, ceux-ci constituent une notabilité rurale très influente. Ils investissent les échelons locaux et provinciaux du Parti du Congrès. Grâce à la complicité locale des magistrats et des policiers appartenant à leurs réseaux d'influence et de clientèle, ils freinent des quatre fers les réformes agraires que l'élite urbaine éclairée du Parti du Congrès parvient à faire adopter. Cette notabilité rurale a cependant une grande faiblesse : en tant que classe sociale, arrogante et parasite à bien des égards, son rôle historique s'achève. Certes, au lendemain de l'indépendance, les *maliks* peuvent encore ralentir le rythme des réformes. Pour défendre leurs privilèges, ils peuvent même faire assassiner leurs métayers trop revendicatifs afin de les empêcher de consolider leurs droits sur le sol ou se contenter plus modestement de les spolier, comme l'évoque le monumental roman de Vikram Seth, *Un Garçon convenable* (1993). Sur le long terme, ils n'ont cependant plus les moyens de faire prévaloir leur type d'exploitation. Les Britanniques, qui avaient trouvé parmi eux des alliés pour assurer l'ordre social et politique de l'Empire, ne sont plus là pour les défendre. En 1950, la notabilité rurale est encore assez forte pour faire inscrire dans la Constitution la disposition selon laquelle la législation agraire est du ressort des Assemblées législatives des Etats, et non pas de l'Assemblée nationale où siègent les élus les plus progressistes de la nation. C'est la composante la plus nombreuse du régime, la plus influente au niveau des réalités quotidiennes, mais la moins dynamique au niveau historique.

La deuxième composante est beaucoup plus dans l'air du temps. Il s'agit de la grande bourgeoisie indienne, constituée de « grandes familles » propriétaires des quelque 75 grands « monopoles » industriels et financiers que compte le pays. Les deux groupes les plus importants, qui figurent encore aujourd'hui en tête du *hit parad* capitaliste indien, appartiennent aux familles Tata et Birla. La concentration de leur capital et la diversité de leurs activités sont impressionnantes.

Les groupes Tata et Birla à l'indépendance

En 1949, l'industrie sidérurgique indienne est dominée par le groupe Tata dont la *Tata Iron and Steel Co* (TISCO) dispose de 76,9 % de la capacité de production totale. Le groupe Tata fabrique des locomotives, des camions, des autobus. Il constitue également le plus important des groupes financiers indiens. Il dirige *la Central Bank of India* et contrôle des dizaines de sociétés industrielles et commerciales intervenant dans des secteurs très divers : chemins de fer, centrales électriques (ravitaillant notamment Bombay et sa région), usines textiles, chimiques, cimenteries, constructions mécaniques, produits alimentaires, hôtels... Les 250 000 habitants de la ville industrielle de Jamshedpur (Bihar) créée par Tata pour y établit la TISCO dépendent totalement de l'activité du groupe.

Le groupe Birla vient juste après. Parmi ses principales entreprises industrielles, on trouve des usines textiles, de jute, des mines de charbon, des sucreries, des entreprises mécaniques, des usines d'automobiles et de bicyclettes, des usines chimiques, des entreprises de matériel électrique, de production de faïence et de porcelaine. Le groupe Birla dirige également d'importantes entreprises commerciales, notamment dans le domaine du commerce extérieur. Il contrôle aussi de nombreuses entreprises de presse : *Hindustan Times* (Delhi), *Searchlight* (Patana), *Eastern Economist* (Delhi), *Leader* (Allahabad), *Ravastrani* (en hindi).

D'après Charles Bettelheim, *L'Inde indépendante*, p. 100 et suiv.

L'existence de ces grands groupes montre que l'Inde, avant même d'être indépendante, est à même de produire beaucoup de choses et d'écouler ses produits sur son propre marché. Les racines historiques du phénomène sont connues : seuls les plus grands des groupes furent capables, grâce à leur puissance de frappe financière et industrielle, de collaborer avec le capital britannique tout en le concurrençant. Chaque grande crise internationale fut mise à profit par les Indiens pour damer le pion aux Anglais : la première guerre mondiale, la crise de 1929, la seconde guerre mondiale qui sonne le glas de l'Empire britannique des Indes. En 1947, des économistes estiment que la majeure partie du capital industriel investi en Inde appartient déjà à des Indiens. C'est là un fait exceptionnel en ce qui concerne un pays colonisé : non seulement les Anglais partent en laissant derrière eux un solide embryon industriel, mais encore cet embryon est déjà dans les mains de la future nation indépendante. En quelque sorte, l'Inde devient politiquement indépendante en 1947 alors qu'elle l'est déjà sur le plan économique. Ce qui signifie qu'elle a les moyens de base de son indépendance. On n'insistera sans doute jamais assez sur l'importance de cette réalité qui place l'Inde dans une situation unique par rapport à celle des pays du Tiers-Monde. Certes, elle ne peut se passer de la coopération internationale pour se développer, mais, précisément, les rapports qu'elle entretiendra avec l'étranger appartiendront plus au domaine de la coopération – c'est-à-dire des relations entre nations souveraines – que de l'aide – c'est-à-dire de rapports de dominés à dominants.

Là réside l'une des clés de la construction républicaine indienne, à laquelle les grands milieux d'affaires participent de tout leur poids, notamment en finançant le Parti du Congrès. Dans le domaine politique, ils préconisent la « paix sociale », ce qui revient à dire qu'il ne faut pas bouleverser trop rapidement les équilibres politiques du pays, sauf à risquer de précipiter l'Inde dans le chaos ou l'incertitude. Dans le domaine économique, ils soutiennent tout ce qui, sans porter préjudice à leurs intérêts fondamentaux, permet de conforter l'indépendance nationale. Pour ce faire, ils n'hésitent pas à préconiser le développement du secteur public et une certaine dose de planification pour donner au pays la colonne vertébrale qui lui manque dans le secteur industriel lourd et l'infrastructure. Pour toutes ces raisons, les « grandes familles » indiennes soutiennent le projet congressiste d'une Inde une et indivisible et d'un Etat central relativement fort sans lequel leurs intérêts risqueraient d'être menacés ou émiettés.

Le rôle de l'intelligentsia

L'élite intellectuelle urbaine indienne, enfin, constitue le troisième pôle du bloc au pouvoir présidant aux destinées du pays en 1947. Relativement peu nombreuse, elle est quand même beaucoup plus étoffée et mieux formée que dans les autres pays colonisés. Durant l'entre-deux-guerres, elle a eu le temps de se rompre aux règles modernes de la vie politique, notamment au sein des Assemblées que les Anglais avaient mises sur pied dans le cadre constitutionnel de l'époque. Appartenant le plus souvent aux hautes castes du pays, elle bénéficie de l'écoute et du respect entretenus par la longue tradition brahmanique. Elle peut donc à la fois saisir les enjeux nouveaux de l'Inde et bénéficier du prestige social nécessaire à sa légitimité. Elle peut contribuer à la modernisation du pays, tenir un discours occidentalisé souvent en totale rupture avec l'Inde des villages, sans pour autant apparaître coupée des réalités populaires. Ses comportements, ses habitudes de vie, ses mœurs familiales sont imprégnées des réalités traditionnelles indiennes mais ses modes de réflexion, ses visions politiques sont celles de l'Inde moderne. De surcroît, elle vit dans un milieu urbain composé majoritairement de salariés industriels et d'employés de l'Etat ou de services para-publics, ce qui l'incite à tenir un discours socialisant et progressiste au diapason des *desiderata* d'un pays pauvre, mais dont les accents étatistes ne sont pas sans déplaire aux grands milieux d'affaires. Pour toutes ces raisons, les intellectuels urbains, au lendemain de l'indépendance, sont en mesure de jouer un rôle clé dans le dispositif idéologique du nouvel Etat. Ils forment les gros bataillons des cadres supérieurs de la fonction publique. Ils investissent des lieux de pouvoir prestigieux, comme la Commission de planification. Nombre des dirigeants du Parti du Congrès sont issus de leurs rangs.

Jawaharlal Nehru (1889-1964), intellectuel fin et cultivé, est l'archétype de cette élite urbaine. Il est issu d'une riche famille brahmane du Cachemire, venue à Delhi au début du XVIIIe siècle. Son grand-père paternel occupait des fonctions politico-administratives dans la capitale de l'Empire moghol, qu'il dut fuir lors de la grande révolte de 1857. Son père, Motilal Nehru, un « modéré », fut un temps président du Parti du Congrès. Jawaharlal Nehru, élevé dans le sérail congressiste, en devient vite l'un des principaux dirigeants. Avocat de profession, il a poursuivi une partie de ses études en Angleterre, à Harrow et Cambridge. Ses écrits – pour la plupart composés dans les prisons britanniques où il passe onze ans de sa vie - font de lui un grand écrivain politique de langue anglaise. En 1947, il porte une rose à la boutonnière en hommage à *Lady* Mountbatten, la femme du dernier vice-roi des Indes, *Lord* Mountbatten, qu'il aime et dont il est aimé, avec laquelle il entretient une longue correspondance. Veuf depuis de longues années de celle qu'il épousa en 1916, à la suite d'un mariage traditionnellement arrangé par sa famille, il a une fille, Indira, qui, très jeune le secondera dans toutes ses tâches politiques. En dépit de son image anglicisée, l'univers mental de Nehru plonge ses racines dans celui, culturel, de son pays. Son « occidentalisation » n'est pas contradictoire avec sa fonction de dirigeant politique indien, elle lui est au contraire nécessaire. Elle lui permet de conceptualiser et mettre en œuvre les valeurs de base dont la République indienne a besoin pour maintenir son unité et sa cohésion, notamment dans le cadre de la délicate coexistence entre hindous et musulmans. Ces valeurs sont celles d'un Etat laïc et moderne offrant un cadre rationnel à la nouvelle citoyenneté indienne, celles d'une démocratie parlementaire garantissant à la fois l'unité du pays dans sa diversité et la légitimité du pouvoir des couches dominantes. Sur tous ces points, l'« occidentalisation » de Nehru est fonctionnelle. Elle est, à l'image de l'anglais devenu l'une des « voix » de l'Inde, l'un des éléments essentiels du métissage politique et culturel participant de la nouvelle identité démocratique de l'Inde contemporaine.

CHAPITRE 7

La stratégie de développement

L'indépendance a permis à l'Inde de franchir une étape décisive dans son développement et c'est son progrès qui, aujourd'hui, engendre ses nouvelles contradictions. Deux grandes phases peuvent être distinguées. De 1947 à 1991, l'Inde suit un modèle autocentré de développement, conférant à l'Etat un rôle important. Depuis 1991, elle a décidé de donner beaucoup plus libre cours aux règles du marché, aussi bien chez elle que dans le domaine de ses relations avec l'étranger.

Les années Nehru

En politique économique, le nom de Nehru reste surtout attaché à l'industrialisation du pays. Mais on aurait tort de négliger l'apport des années Nehru dans le domaine agraire. Car c'est au cours de cette période que sont adoptées les réformes agraires. Elles visent à briser le carcan du système d'exploitation colonial pour dégager le cadre nouveau d'une agriculture capitaliste, plus moderne et rationnelle.

Le carcan ancien, c'est ce qu'on appelle dans une partie du Nord de l'Inde le système *zamindari*. En 1947, au Bengale, où le système sévit à son comble, une quarantaine de couches successives de propriétaires absentéistes, les *zamindars*, s'approprient en cascade des loyers sur le sol sans se préoccuper de la façon de les cultiver. Ils laissent ce soin à une masse de métayers et de paysans misérables, ne survivant souvent qu'au prix d'un endettement dramatique : des parents insolvables doivent s'endetter sur la tête de leurs enfants, convertis ainsi en véritables « esclaves pour dette ». La productivité agricole est très faible, l'usure des sols et la dégradation des outillages agraires considérables. Le cadre nouveau, c'est l'agriculture de type capitaliste. Le principe de « *personal cultivation* » qui figure dans toutes les lois agraires vise à la promouvoir : les détenteurs de terres, notamment les *zamindars,* ne pourront garder que ce qu'ils peuvent « cultiver personnellement », ce qui permettra de resserrer la taille des exploitations. On espère que le nouveau propriétaire, disposant d'une exploitation de taille raisonnable, pourra alors la faire fructifier rationnellement, afin d'écouler sa production sur le marché à des prix compétitifs.

C'est le schéma idéal. En pratique, les réformes sont lentes et inégales. Tout dépend des rapports de force locaux. Dans certaines provinces, le *zamindar* dispose d'assez d'influence ou de complicités pour enfreindre la loi. Il peut, par exemple, prétendre que sa famille se compose de plus d'une centaine de personnes, qu'il faut appliquer le droit hindou traditionnel sur la famille indivise, et que le mot « personnel » doit donc correspondre à ce que plus de cent personnes peuvent ensemble cultiver. Si sa famille n'est pas assez nombreuse, il peut chercher à faire enregistrer ses vaches pour l'agrandir : le cas s'est rencontré ! En revanche, si ses métayers s'opposent à ses combines, il devra faire des compromis et céder une partie de son domaine. Un paysan plus petit la rachètera alors à l'Etat (qui se fait le garant du processus). La somme versée sera utilisée pour indemniser le *zamindar* (la droite congressiste exige de faire inscrire le droit à l'indemnisation dans la Constitution au nom de la « paix sociale »), mais le nouveau propriétaire deviendra ainsi un paysan-cultivateur capable désormais de mettre en valeur sa terre tandis que l'ancien *zamindar,* ramené aux dimensions d'un exploitant plus moyen, décidera peut-être lui aussi de devenir un paysan-cultivateur rentable.

Ces réformes suscitent avec le temps un nouveau type d'exploitant agricole, le *kisan,* évoquant le *koulak* russe du début du siècle. Leur principe se distingue de celui des réformes engagées à la même époque en Chine. En Inde, le principe de la réforme n'est pas de redistribuer la terre à « celui qui la travaille » mais de la vendre à « celui qui la cultive ». Les lois agraires indiennes ne visent pas à aider le « travailleur », c'est-à-dire l'ouvrier agricole ou le petit métayer travaillant de ses mains. Elles ne lui bénéficieront d'ailleurs en rien et son sort ne changera pas. Il restera massivement analphabète. C'est le « cultivateur », parfois plus gestionnaire de son exploitation que travailleur de ses mains, qui incarne la nouvelle classe que le régime congressiste fait monter. Au début des années 1960, les spécialistes estiment que le tiers environ de l'agriculture indienne est déjà devenue capitaliste.

Dans le domaine industriel, les années Nehru sont celles de l'industrialisation lourde, notamment dans les domaines de la sidérurgie et de la métallurgie. L'Inde s'engage sur la voie de la planification. Ses plans quinquennaux s'inspirent en partie de l'expérience soviétique. Toutefois, comme le modèle français auquel ils font parfois référence, ils sont indicatifs et non pas obligatoires. Fondamentalement, ils servent à mobiliser les énergies du pays sur la question de l'indépendance nationale et de la lutte contre la pauvreté. Les monopoles privés indiens ne sont pas nationalisés. Mais le secteur public, créé de rien ou presque, fait l'objet d'investissements massifs. D'immenses complexes industriels voient le jour, telles les aciéries de Bhilai et de Bokaro construites avec l'aide soviétique ou celles de Durgapur construites avec l'aide anglaise. A la différence de beaucoup de pays d'Asie de l'Est qui ont eu recours à l'intervention des pouvoirs publics pour bâtir un solide secteur industriel privé, l'Inde opte donc pour un contrôle des industries-clés par l'Etat. Ses objectifs sont clairs : l'autosuffisance sur le plan économique, une politique de substitution des importations. L'Inde de Nehru essaye de se donner les moyens de fabriquer elle-même ce que son immense marché intérieur peut lui permettre d'absorber. Son gouvernement insiste sur le développement de l'enseignement technique, et sur la question des transferts de technologie à chaque fois qu'un accord est conclu avec l'étranger. Sur toutes ces questions, la politique de Nehru fait à l'époque l'objet d'un fort consensus national.

L'Inde de Nehru participe donc peu aux échanges commerciaux du monde. Cela ne signifie pas que la part des avoirs contrôlés par l'étranger dans son économie (privée) soit négligeable : on a calculé qu'ils pourraient représenter un quart environ des investissements réalisés dans le secteur industriel moderne à la fin de l'ère Nehru. Il ne faut pas, non plus, oublier que le développement économique indien de l'époque repose sur un apport important de concours financiers extérieurs (prêts ou dons) provenant surtout des Etats-Unis et de la Banque internationale de développement et de reconstruction, et servant notamment à financer les importations indiennes. Ces apports extérieurs représentent environ le huitième des dépenses d'investissements publiques durant le Ier Plan (1951-1956), le tiers durant le IIe Plan (1956-1961) et plus de la moitié durant le IIIe Plan (1961-1966/7). Contrairement à une idée reçue, le développement indien n'a rien d'autarcique. Quand il meurt, Nehru lègue à ses successeurs une agriculture refondée et une solide industrie de base, mais aussi une dette dont le service commence à dépasser le milliard de roupies au début des années 1960.

« Révolution verte » et « *licence Raj* »

Sous la houlette du Premier ministre Indira Gandhi, qui succède à l'éphémère gouvernement de L. B. Shastri (1964-1966), deux évolutions majeures se produisent.

La première concerne la « révolution verte », c'est-à-dire la modernisation de l'agriculture par l'introduction d'*inputs* industriels destinés à en accroître la productivité de façon considérable. Elle concerne quasi exclusivement les zones irriguées et irrigables. L'Etat intervient en subventionnant l'utilisation de nouvelles variétés de semences et d'engrais, la mécanisation, l'électrification. La nationalisation des quatorze plus grandes banques privées du pays, en 1969, permet de développer le crédit agricole. De grands instituts de recherche agronomique sont mis sur pied. Cette politique répond aux nouveaux besoins des *kisans* engendrés par les réformes agraires. Elle vise aussi à contrer la réapparition dans certaines régions de la disette, voire de la famine, consécutives à plusieurs années de sécheresse. Elle est fortement préconisée par les pays occidentaux, notamment les Etats-Unis, la Banque mondiale et le Fonds monétaire international. On souligne dans les capitales occidentales que l'Inde aurait tort de chercher à poursuivre ses réformes agraires, comme elle le fait par exemple en 1959 en fixant un plafond maximum à la propriété rurale. Mieux vaut, dit-on, concentrer les efforts de productivité là où c'est possible, c'est-à-dire là où le capitalisme agraire peut se développer avec succès. On affirme aussi que l'Inde, au lieu de développer son potentiel industriel, devrait concentrer ses efforts financiers sur son développement technologique agricole, en achetant à l'Ouest les produits industriels qui lui feront alors défaut. Et on fait pression sur le gouvernement indien pour que celui-ci dévalue la roupie (ce sera fait en 1967) : la croissance des exportations indiennes devra répondre aux nouveaux besoins d'importations. La « révolution verte » ne constitue donc pas seulement une mesure technique : elle s'inscrit dans le cadre d'une politique économique globale qui tend à remettre en cause certaines des bases de l'économie nehruiste autocentrée.

La seconde a trait à la diversification du tissu industriel. L'Etat favorise le développement du secteur de la petite et moyenne entreprise moderne à partir d'un arsenal de textes législatifs et réglementaires destiné à le protéger contre la concurrence des grands groupes. Comme les *kisans*, les moyens entrepreneurs trouvent auprès des banques nationalisées des conditions plus avantageuses de prêts. Utile, l'intervention de l'Etat dans l'économie prend cependant assez rapidement un tour bureaucratique. Dans les années 1980, tout investisseur potentiel, petit, moyen ou grand, est pris dans un maquis serré de textes et de règles tatillonnes avant de se voir accorder éventuellement une « autorisation à investir » en conformité avec le type de produits qu'il veut vendre, le type de machine qu'il possède, le nombre de personnes qu'il emploie, le lieu où il veut monter son affaire, le profit qu'il compte en retirer... C'est ce qu'on appelle le *licence Raj*, le « règne de l'autorisation à investir ». Une réalité qui nourrit les pots-de-vin les plus variés et le financement occulte du Parti du Congrès. Une réalité exaspérante. Elle en vient à freiner l'initiative privée au lieu de la favoriser. Elle constitue finalement l'une des raisons pour lesquelles une partie de l'opinion commence à écouter avec une certaine sympathie la voix des sirènes libérales.

De fait, après une période de statu quo coïncidant avec le retour d'Indira Gandhi au pouvoir (1980-1984), Rajiv Gandhi (1984-1989) impulse une politique économique nettement plus libérale. Le « *licence Raj* » est allégé, on favorise les *joint-ventures* et les exportations, on allège la fiscalité sur le revenu des personnes physiques et des sociétés, on adopte une taxe sur la consommation inspirée de la TVA, on exige du secteur public qu'il autofinance ses nouvelles dépenses. Mais il faut attendre l'arrivée au pouvoir de Narasimha Rao en 1991 pour que le tournant décisif soit pris.

Le tournant libéral de 1991

Il est précipité par l'effondrement de l'URSS qui constitue alors le deuxième plus grand partenaire commercial de l'Inde après les Etats-Unis, et la guerre du Golfe (janvier 1991) qui coûte à l'économie indienne quelque 3 milliards de dollars en raison des pertes de transferts des devises des Indiens travaillant dans la région et de la hausse de la facture pétrolière. Il est imposé par la très sévère crise économique et financière que l'Inde traverse à l'époque. Au début de l'année 1991, les réserves en devises de l'Inde ne représentent plus qu'à peine quinze jours d'importations. L'Etat enregistre la plus grande crise des paiements de son histoire et éprouve des difficultés à payer ses fonctionnaires.

A peine installé au pouvoir après les élections législatives de 1991, le Premier ministre congressiste Narasimha Rao accentue soudain le rythme du changement. L'ancienne législation anti-monopoliste et le *licence Raj* sont démantelés. Les investissements étrangers et les importations sont libéralisés et le principe du contrôle majoritaire indien est abandonné sauf dans quelques secteurs liés notamment à la sécurité nationale. Les capitaux étrangers sont sollicités non seulement pour les transferts de technologies, mais aussi pour « étendre les capacités de production du pays ». Le secteur public, acier, aviation, télécommunications, construction navale, est ouvert aux capitaux privés. La roupie devient convertible pour les échanges commerciaux. Les droits de douanes sont réduits. Les bases d'imposition des impôts indirects sont élargis tandis que les impôts sur les sociétés et les grandes fortunes sont allégés. Bref, l'Inde ouvre une nouvelle page de son histoire économique.

300 millions de consommateurs

En 1985, dans un livre très remarqué traitant de la stagnation industrielle de l'Inde, l'économiste I. J. Alhuwalia donne la clé de la nouvelle politique économique indienne. Il faut, dit-elle, créer un « environnement favorable à la concurrence domestique et à la prise en compte des facteurs coût et qualité ». La concurrence étrangère doit servir d'aiguillon. Sous son effet, les rentes de situation des groupes indiens, qui vendent cher des produits de mauvaise qualité, tomberont. Les prix s'abaisseront et la qualité augmentera, une condition *sine qua non* pour développer les exportations et satisfaire les besoins de consommation des nouvelles couches moyennes. Ces dernières sont conçues comme devant constituer le moteur de la croissance économique. On estime aujourd'hui que l'Inde compterait environ 300 millions de consommateurs. Tout est fait pour répondre à leurs besoins de consommation, notamment au niveau de la fiscalité. On espère que le pays bénéficiera peu à peu des retombées induites par cette relance à la consommation. C'est ce que les économistes appellent le « *trickle down effect* », ou « l'effet de diffusion ». Pour les plus pauvres, qui en seront évidemment exclus pendant un certain temps, l'Etat devra conforter par le bas le processus ainsi engagé en développant la politique de planning familial et en multipliant les programmes spécifiques d'aide à la pauvreté. Son rôle de redistribution sera appuyé par l'activité des diverses organisations non-gouvernementales (ONG) œuvrant dans le domaine social.

Les dangers de la libéralisation

« Le rêve [de Rajiv Gandhi] d'introduire l'Inde dans le XXIe siècle se limite essentiellement aux couches supérieures de la société ; il s'effectue au détriment de ce dont disposent les pauvres ; il engendre leur migration forcée vers les villes d'où ils sont alors chassés à coups de bulldozers ; des millions de gens sont considérés comme des citoyens sans Etat dans leur propre Etat... ».

Rajni Kothari, *Times of India* (New Delhi), 27 avril 1984.

Depuis, le processus semble irréversible. En 1996, l'arrivée au pouvoir du Front uni auquel participent des communistes ne modifie pas la donne. Ni, non plus, la victoire des nationalistes hindous du Bharatiya

Janata Party (BJP) en 1998. Certes, le BJP impose une taxe de 8 % sur certaines importations dans le budget de 1998-1999, sacrifiant ainsi à la promesse qu'il avait faite durant sa campagne électorale de donner une coloration *swadeshi* (protectionniste) à sa politique économique. Mais la privatisation du secteur public (*Indian Airlines, Air India*, secteur des assurances...) est relancée de plus belle. Le mot de « privatisation », jusque-là tabou en Inde, est officiellement prononcé pour la première fois par le ministre des Finances lors de la présentation du budget. On parlait jusqu'alors pudiquement de « désinvestissement ». Quant aux investissements étrangers, le gouvernement nationaliste les facilite en accélérant les procédures administratives, non sans chercher à favoriser plus particulièrement les « *Non-Residents-Indians* », autrement dit la riche diaspora indienne.

Au niveau économique, l'impact de la libéralisation économique se fait vite sentir. Le taux de croissance économique grimpe rapidement. Il dépasse les 7 % pendant trois années successives jusqu'en 1997, date à laquelle il fléchit un peu pour trouver un taux moyen de 5 à 6 %. Dans les années 1960 et 1970, il avoisinait régulièrement les 3,5 %, ce qui conduisait alors les économistes indiens à parler en termes ironiques d'un « taux de croissance hindou », comme si le destin de l'Inde était de ne jamais dépasser ce seuil. Fouettée par la concurrence, l'industrie indienne se modernise. La ville de Bangalore au Karnataka devient l'une des capitales mondiales de l'électronique et des ordinateurs, un secteur très exportateur. La pharmaceutique, les médias et la production de biens non durables se développent également. Des entreprises industrielles jusque-là prestigieuses, dans le secteur textile par exemple, se voient soudain supplantées par de nouvelles venues, mieux adaptées au marché et à son évolution rapide. Selon une étude conduite par le *Financial Times* en 1998, la moitié des cinquante entreprises privées du pays figurant depuis quatre ans parmi le groupe de tête ont été implacablement remplacée par de nouvelles entreprises montantes. Dans le même temps, le taux d'épargne se situe constamment à un bon niveau et l'inflation est généralement assez bien jugulée. Un point négatif, en revanche, concerne la dette extérieure et le déficit. La première s'accroît considérablement. Elle représentait 11,9 % du

PNB en 1980. Elle grimpe à 36,4 % en 1993. Elle reste relativement importante puisqu'elle n'est retombée qu'aux alentours de 28 %. Son service, c'est-à-dire les intérêts que l'Inde doit verser chaque année au titre de sa dette, « mange » environ 28 % des recettes d'exportation du pays. Les experts estiment qu'un pays tombe dans le « piège de la dette », c'est-à-dire s'endette pour rembourser sa dette, quand le service de la dette atteint le tiers des exportations. Quant au déficit combiné de l'Union indienne et des Etats, il représente plus de 9 % du PNB. C'est aussi un chiffre qui contribue à modérer l'enthousiasme des observateurs. Notamment lorsque l'on sait les dépenses importantes que l'Inde devrait consentir pour moderniser ses infrastructures, surtout dans le domaine des communications routières et téléphoniques, et développer l'enseignement de masse.

Sur le plan social, la libéralisation économique ne semble guère, pour l'heure, modifier radicalement le niveau de pauvreté en Inde, sinon dans le mauvais sens. En 1991, selon un membre du gouvernement qui l'affirmait devant le Parlement, quelque 40 % de la population indienne vivait au-dessous de la ligne de pauvreté. Près de sept ans plus tard, une étude de la Commission de planification fixe leur nombre à plus de 37 %. Ce sont des ordres de grandeur, car personne ne connaît le nombre exact de pauvres absolus en Inde. De surcroît, selon toute probabilité, leur nombre s'accroît, même si, parallèlement, le nombre de gens qui vivent un peu mieux grandit également, en raison du taux de croissance démographique. Pire, certaines des statistiques indiquent que le rythme de diminution de la pauvreté dans les campagnes se serait ralenti au cours de la décennie écoulée.

La pauvreté rurale progresse-t-elle ?

Selon une étude de la Commission de planification de décembre 1996, 37,27 % de la population rurale vit en dessous du seuil de pauvreté en 1993-1994 contre 35,0 % en 1990-1991. Ces chiffres, résultant de sondages conduits par la *National Sample Survey Organisation* (NSSO), n'ont pas exactement les mêmes bases de référence. Ils sont donc difficiles à comparer. Ils confirment cependant la tendance générale des vingt dernières années. En effet, selon les données publiées par la NSSO tous les cinq ans depuis 1973-1974, il apparaît que la part des pauvres ruraux diminue en moyenne, entre deux enquêtes, de 3,4 % à 7,5 % de 1973-1974 à 1987-1988, alors qu'elle régresse de moins de 2 % entre 1987-1988 et 1993-1994. D'autres études économiques vont encore plus loin. En se fondant sur des enquêtes rapides concernant les années 1990-1991, 1991-1992 et 1992-1993, la Banque mondiale estime que le nombre des pauvres ruraux est respectivement de 36,43 %, 37,42 % et 43,47 %. A partir de ses propres travaux, le professeur S. D. Tendulkar, de la *Delhi School of Economics*, estime leur nombre à 36,55 %, 42,06 % et 48,07 % pour ces trois mêmes années. Quel que soit l'accroissement probable du taux de pauvreté de 1990-1991 à 1993-1994, il semble donc, en tout état de cause, que le rythme de diminution de la pauvreté dans les campagnes se ralentit depuis l'entrée de l'Inde dans l'ère du libéralisme.

Les inégalités sont également en train de se creuser entre les Etats. La Commission de planification indienne a récemment calculé que le nombre des pauvres ruraux augmentait nettement plus vite en Uttar Pradesh et au Bihar, les deux grands Etats du Nord de l'Inde, que dans le reste du pays. Alors que le nombre des pauvres augmente dans toute l'Inde rurale de quelque 12 millions de personnes de 1988 à 1994, il croît de près de 15 millions de personnes rien que dans ces deux Etats. L'Uttar Pradesh, avec ses 139 112 millions d'habitants selon le dernier recensement de 1991, et le Bihar avec ses 86 374 millions d'habitants, participent ainsi à raison de 120 % dans l'augmentation de la misère rurale indienne. Comment ne pas penser que cette réalité a un impact sur la situation politique actuelle de l'Inde, tant du point de vue de l'instabilité politique qui caractérise aujourd'hui le Nord de l'Inde que des tensions régionalistes qui s'expriment entre les régions qui profitent des retombées de la nouvelle politique économique, et celles qui plongent ?

Pour l'heure, le développement des villes est sans doute le phénomène qui apparaît le plus marquant aux yeux de l'observateur étranger qui se rend en Inde. Une véritable boulimie d'activités les plus diverses semblent les saisir, avec toutes les conséquences les plus contrastées dans les domaines de la modernisation et du consumérisme, avec aussi l'extension des bidonvilles et la dégradation de l'environnement, notamment en ce qui concerne la pollution. A elle seule, la population urbaine indienne compte 217 millions d'habitants, soit plus que toute la population totale de l'Afrique occidentale ; elle dépassera allégrement dans quelques années la population totale des Etats-Unis (260 millions d'habitants). Environ 26 % de la population indienne se concentre dans les villes. D'après le dernier recensement de 1991, plus de la moitié des citadins vivent dans 299 villes ou agglomérations urbaines de plus de 100 000 habitants. Vingt-quatre de ces villes ont plus d'un million d'habitants. Mumbay (Bombay), avec ses quelque 13 millions d'habitants, et Calcutta, avec ses 11 millions d'habitants, se rangent parmi la dizaine des plus grandes cités du monde. New Delhi, la capitale, qui n'avait que 2 millions d'habitants dans les années 1960, avoisine aujourd'hui les 9 millions d'habitants. Chennai (Madras), la capitale du Tamil Nadu, dépasse les 5,5 millions d'habitants. Ces quatre villes, qui sont les quatre plus grandes métropoles de l'Inde voient entre 38 % et 42 % de leurs habitants vivre dans des *slums*, ainsi qu'on appelle en Inde les bidonvilles ou l'habitat très dégradé.

Ces quelques chiffres témoignent de ce qu'il est convenu d'appeler une « urbanisation galopante ». Et, de fait, le taux de croissance urbaine reste élevé en Inde depuis plus d'un demi-siècle. Il a encore dépassé les 3 % par an entre 1981 et 1991. En chiffres absolus, cela fait évidemment beaucoup de monde. La densité des villes indiennes est d'ailleurs forte : elle est, par exemple, de 6 352 personnes au km^2 à New Delhi. En termes relatifs, cependant, la croissance urbaine indienne doit être rapportée à l'importance de la population rurale, qui continue à absorber quelque 74 % de la population totale du pays, même si elle croît moins vite (+ 1,8 % par an de 1981 à 1991). Comme le montrent Frédéric Landy et Jean-Luc Racine dans un article récent consacré à l'analyse de la croissance urbaine et de l'enracinement villageois en Inde, publié dans la revue *Espace, Populations, Sociétés*, « alors que depuis les années 1950 une grande partie du Tiers-Monde a connu une brutale urbanisation, l'Inde est

La pauvreté rurale

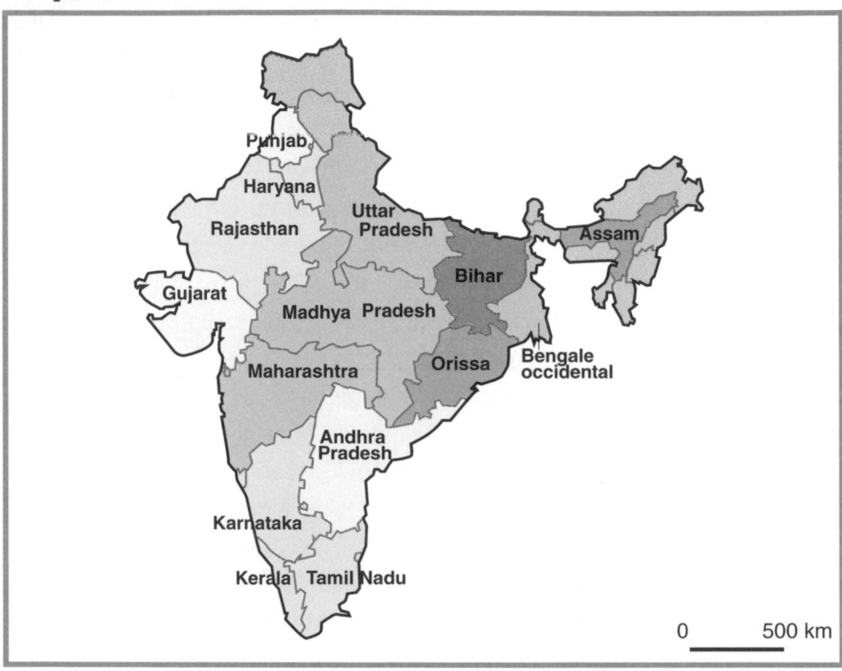

Population rurale vivant au-dessous du seuil de pauvreté en 1994

10 à 24,9%	35 à 44,9%	55 à 60%
25 à 34,9%	45 à 54,9%	Données non fournies

Pourcentage par Etat

1994		1977	1994		1977
58	Bihar	63	**30**	Karnataka	48
50	Orissa	72	**28**	Haryana	28
45	Assam	60	**26**	Rajasthan	36
42	Uttar Prad.	48	**26**	Kerala	51
41	Bengale occ.	68	**22**	Gujarat	42
41	Madhya Prad.	63	**16**	Andhra Prad.	38
38	Maharashtra	64	**12**	Punjab	16
33	Tamil Nadu	58	**37**	**Inde entière :**	53

Source : Business Line, New Delhi, 20 Décembre 1996

restée [...] à l'écart de ce processus. Tout se passe comme si l'urbanisation ne représentait qu'un écrémage de la population des campagnes ; jamais ce terme d'« exode » rural, apparu en 1892 pour décrire la situation de l'Angleterre de la fin du XIXe siècle, n'aura paru moins approprié. De fait, les campagnes apparaissent un peu comme une éponge, dont seul le surplus s'écoule, mais qui sinon reste pleine ». Cette réalité conduit à tempérer les propos des observateurs qui mettent l'accent sur les migrations des ruraux vers les villes en Inde pour expliquer la forte croissance de ces dernières. En fait, la part de l'immigration d'origine rurale dans la croissance urbaine n'est que de 21,7 % de 1981 à 1991. La majeure partie de cette croissance (58 %) découle du solde naturel des citadins (le reste – 17 % – relevant essentiellement, dans les statistiques, de l'impact du reclassement en tant qu'urbaines de localités auparavant rurales). Cela, bien sûr, ne saurait conduire à minimiser les problèmes auxquels est confronté le monde urbain ni à souligner l'absence de véritable « politique de la ville » en Inde, mais permet de resituer la croissance urbaine dans son contexte et de ne pas en faire le « monstre » qu'elle constitue dans d'autres pays pauvres. En d'autres termes, cette croissance n'induit pas un déséquilibre fondamental dans la vie économique et sociale de l'ensemble du pays. Cela pourrait signifier que l'Inde, si elle s'en donnait les moyens, pourrait résoudre mieux qu'elle ne le fait une partie des problèmes de sa population citadine, notamment la plus pauvre qui, pour beaucoup, constitue sa population ouvrière au sens large.

La main d'œuvre indienne

En se fondant sur le recensement de 1991, le gouvernement indien estime que la « population économiquement active » du pays (non inclus le Cachemire où il n'y a pas eu de recensement) représente 285,9 millions de personnes. Neuf catégories dites « *industrial* » sont distinguées : les cultivateurs (39 %), les ouvriers agricoles (26 %), la main d'œuvre engagée dans les activités forestières, la pêche, la chasse, les plantations et les vergers (2 %), les mines et les carrières (1 %), la main d'œuvre des entreprises manufacturières (9 % dont 2 % dans les entreprises familiales), la construction (2 %), le commerce (8 %), les transports et les communications (3 %), les « autres services » (10 %). 28,2 millions de « travailleurs marginaux » (beaucoup sont des saisonniers) sont également recensés mais ne sont pas pris en compte dans les chiffres cités ci-dessus. 29 % du total de cette force de travail sont des femmes et presque 78 % travaillent à la campagne. De 10 à 20 % des ouvriers agricoles seraient obligés de travailler sans salaire, afin de rembourser une dette qu'ils ont été obligés de contracter, très souvent à des taux usuraires.

Cette « population économiquement active » inclut 55 millions d'enfants, non compris ceux travaillant directement avec leurs parents. On estime en Inde que 25 millions d'entre eux sont employés dans l'agriculture, 20 millions dans les services – hôtels, boutiques, domesticité – et 5 millions dans diverses industries textiles (tissage, fabrication de tapis, taille des pierres précieuses, fabrication d'allumettes et de cigarettes artisanales...). La Constitution interdit le travail des enfants en dessous de 14 ans. Elle n'est pas respectée. D'après un rapport récent de l'UNICEF (1997), un enfant sur trois qui travaille dans le monde est Indien.

Les organisations gouvernementales et les entreprises non agricoles de 25 personnes et plus emploieraient environ 19 millions de personnes contre 8 millions de personnes pour le secteur privé.

Les syndicats indiens regroupent environ 15 millions de personnes, dont plus de la moitié sont membres de la douzaine de fédérations syndicales reconnues. La classe ouvrière, concentrée dans les villes, est relativement bien organisée en Inde. Ses organisations syndicales sont très politisées, ce qui ne va pas sans expliquer nombre de scissions. Parmi les principaux syndicats ouvriers, citons l'INTUC *(Indian National Trade Union Congress*), proche du Parti du Congrès, l'AITUC (*All India Trade Union Congress*), proche du Parti communiste de l'Inde, la CITU (*Centre of Indian Trade Unions*), proche du Parti communiste marxiste, la HMS (*Hind Mazdoor Sabha*), dirigée par des socialistes, la BMS (Bharatiya Mazdoor Sangh), proche du BJP. Il existe aussi de nombreux syndicats « indépendants ».

India. A Country Study, et S. Chanda, « Problems and Issues of Child Labour », *Social Action* (Child Labour in India), janvier-mars 1998, vol. 48, n° 1.

CHAPITRE 8

Les paradoxes de la démocratie indienne

Pendant les quelque trois premières décennies de son histoire, l'Inde indépendante offre le visage d'une démocratie parlementaire stable et assez sereine où les élections législatives générales ont lieu régulièrement tous les cinq ans. La presse est libre et les partis politiques s'expriment comme ils l'entendent. Toutefois, seulement un peu plus d'un électeur sur deux en moyenne (54 %) exerce son droit de vote. Une autre partie de l'électorat, nombre d'études le confirment, votent dans le cadre de réseaux clientélistes dominés par la notabilité locale et les élites nationales issues des couches moyennes urbaines. Ainsi, une partie considérable du peuple ne participe pas *activement* à la démocratie parlementaire. Elle se contente de se faire représenter dans les organes du pouvoir par des dirigeants politiques qui, eux, sont massivement issus des couches les plus favorisées et des castes les plus hautes de la population. Le phénomène limite donc singulièrement l'expression réelle de la démocratie parlementaire indienne. Mais il est la condition *sine qua non* de son succès. Si la rumeur âpre et brutale des revendications populaires s'était faite entendre au sein du Parlement indien, l'arène privilégiée des joutes politiques des couches dominantes, l'Inde n'aurait pu, si longtemps, faire figure de « plus grande démocratie du monde ». On touche là le premier paradoxe de la démocratie indienne : elle fonctionna d'autant mieux que, sous sa forme parlementaire, une partie du peuple en fut longtemps exclue. Elle ne fut jamais aussi belle que pendant l'époque Nehru.

Les choses commencent à changer à la fin des années 1960, c'est-à-dire au moment où commencent à s'agiter les nouvelles couches de paysans aisés créées par les réformes agraires. Certes, cela ne concerne encore qu'une partie de la paysannerie. Mais, précisément, pour la première fois, des hommes issus de la paysannerie industrieuse entendent peser directement sur le cours politique de leur pays. Et ces hommes, rudes, pragmatiques, ancrés dans la réalité quotidienne du monde de la terre, se montrent tout de suite diablement actifs. Ils n'hésitent pas à créer leur propre parti quand ils estiment que le Congrès ne prend pas suffisamment en compte leurs demandes. Les débats feutrés du Parlement ou des Assemblées législatives ne les intéressent pas. La langue qu'on y parle, l'anglais bien souvent, ne leur convient d'ailleurs pas. La formulation de leurs exigences passent par les idiomes culturels qu'ils connaissent : leur langue, leurs castes (*jati*), la réalité de leur région. Leur irruption sur le devant de la scène bouleverse la donne politique. A la fin des années 1980, et plus encore à partir des années 1990, de nouvelles couches de la population, plus pauvres, s'engouffrent à leur tour dans la brèche ouverte et leur nouvelle participation au jeu politique accroît encore les tensions. Elles aussi se comportent selon les idiomes qu'elles connaissent, avant tout celui de la religion et de la caste. C'est le deuxième paradoxe de la « plus grande démocratie du monde » : elle se dérègle au fur et à mesure qu'y participe un nombre croissant de « forces vives » de la nation.

Le « système congressiste » éclate

Les premières grandes difficultés du Parti du Congrès remontent aux élections législatives nationales de 1967, qui marquent son premier recul important. En 1969, une crise interne secoue le Parti, qui se scinde en deux organisations rivales, la plus grande partie restant rassemblée derrière Indira Gandhi. Premier ministre, celle-ci parvient à garder la majorité au Parlement. Mais les choses ne seront plus jamais comme avant. Confrontée à des difficultés croissantes, Indira Gandhi réagit sur plusieurs fronts. Elle durcit son contrôle sur l'appareil congressiste, ce qui altère la souplesse de tout le « système congressiste ». Elle surveille de près toutes les velléités d'indépendance qui s'expriment parmi les « barons » de son parti au pouvoir dans les différents Etats de l'Inde. Cela engendre un processus de centralisation et de concentration des pouvoirs au main de l'exécutif de l'Union, au détriment des Etats. Dans le même temps, Indira Gandhi se lance dans une politique aux accents populistes, s'adressant directement à son peuple en passant par-dessus les organes de son parti dont le fonctionnement démocratique est remis en cause. Le phénomène de personnalisation du pouvoir devient une marque caractéristique de son régime. A partir de 1973-1974, une forte opposition se développe dans le pays, autour d'un vieux dirigeant charismatique, Jayaprakash Narayan. Sa colonne vertébrale est constituée par le parti nationaliste hindou, à l'époque le Jan Sangh, l'ancêtre du BJP d'aujourd'hui, mais y participent aussi des partis de gauche, comme le Parti communiste marxiste (PCM) et le parti socialiste. Une immense grève de cheminots est réprimée avec dureté. Des manifestations ont lieu dans tout le pays. En juin 1975, une décision de justice considère que l'élection d'Indira Gandhi à la *Lok Sabha* en 1971 a été entachée d'irrégularités. Le Premier ministre décide alors de proclamer l'état d'urgence dans l'ensemble du pays. La mesure est constitutionnelle, car elle est ratifiée par le président de la République. Mais elle fait basculer le pays dans un régime de semi-dictature. Cela n'en conforte pas pour autant le pouvoir d'Indira Gandhi. Après avoir levé l'état d'urgence en 1977, celle-ci est battue aux élections de 1977. Pour la première fois de son histoire, le Congrès passe dans l'opposition et le « système congressiste » vole en éclats.

La proclamation de l'état d'urgence

« Le Premier ministre avait reçu des informations selon lesquelles Jayaprakash Narayan devait tenir un énorme meeting à Delhi [...] le 25 juin et qu'il « demanderait aux forces armées et à la police de se révolter et de désobéir aux ordres qu'ils ne considèreraient pas comme légaux. « Siddharta*, nous ne pouvons pas l'accepter », dit un Premier ministre tendu. « Je veux qu'on fasse quelque chose. J'ai le sentiment que l'Inde est comme un bébé et, exactement comme on doit parfois prendre un bébé et le secouer, je pense qu'il faut secouer l'Inde ».

Siddharta Shankar Ray rentra chez lui consulter ses livres de droit. Il trouva qu'aux termes de la Constitution, on pouvait déclarer l'état d'urgence si la stabilité interne de l'Etat était menacée [...] ».

Pupul Jayakar, *Indira Gandhi. A Biography,* p. 274.

* Juriste proche d'I. Gandhi, ancien *Chief minister* du Bengale occidental.

L'ère des coalitions

A partir de 1977, l'Inde entre dans l'ère des coalitions. Par définition relativement incertaines et éphémères, elles sont à l'origine de l'instabilité politique du pays, qui contraste avec la période précédente. De 1947 à 1977, trois Premiers ministres seulement se succèdent à la tête du pays : J. Nehru (1947-1964), L. B. Shastri (1964-1966), I. Gandhi (1966-1977). Depuis 1977, ils sont une dizaine à avoir dirigé le pays : M. Desai (1977-1980), Charan Singh (1980), I. Gandhi (1980-1984), R. Gandhi (1984-1989), V. P. Singh (1989-1990), C. Shekhar (1990), N. Rao (1991-1996), D. Gowda (1996-1997), I. K. Gujral (1997-1998), A. B. Vajpayee (depuis 1998). Au niveau des Etats, l'instabilité croît également, notamment dans les Etats les plus peuplés du Nord. La *Presidents'rule*, qui devait être selon les constituants l'exception et non la règle, y est de plus en plus fréquemment proclamée.

L'émiettement des partis politiques explique en grande partie cette instabilité. Aujourd'hui, *grosso modo*, outre nombre d'organisations inclassables et de candidats dits « indépendants », trois grandes composantes partisanes se font face, d'importance plus ou moins égale : le parti du Congrès (25,7 % des voix en 1998) et ses rares alliés régionaux, le Bharatya Janata Party (BJP, 25,5 % en 1998) et ses alliés régionaux très disparates, une sorte de troisième force composée de partis de gauche (les plus importants sont les deux partis communistes) et de partis régionaux (21,9 % au total en 1998). A l'intérieur de chacune de ces composantes, l'hétérogénéité est grande. Le parti du Congrès est loin de constituer un bloc monolithique, même s'il a nettement tendance à se rassembler au cours de la période récente derrière la veuve de Rajiv Gandhi, Sonia Gandhi. Le BJP est divisé en au moins deux grands courants, l'un plus militant que l'autre sur le plan du nationalisme hindou, et moins intéressé à faire des compromis dans le cadre du jeu parlementaire. La gauche indienne est très fragmentée. Une partie d'entre elle s'exprime toujours au sein du parti du Congrès. Une autre se regroupe autour du petit Parti socialiste indien ou d'organisations relativement attachées à une optique socialisante et laïque, comme le Janata Party. Une troisième, enfin, se retrouve dans le mouvement communiste indien, lui-même divisé en deux partis politiques, le Parti communiste de l'Inde et le Parti communiste de l'Inde (Marxiste), sans compter quelques mouvances d'extrême-gauche (qualifiées souvent de maoïstes ou de « naxalistes »). Quant aux partis régionaux, ils existent désormais un peu partout en Inde, mais sont particulièrement importants au Sud du pays (le DMK et l'AIADMK au Tamil Nadu, le Telegu Desam en Andhra Prasdesh), au Cachemire, en Assam, au Punjab (où l'Akali Dal essaye de capter l'électorat sikh). La liste serait incomplète si on ne mentionnait pas, en outre, l'émergence de nouveaux partis, tel le Bahujan Samaj Party qui se fixe pour objectif de regrouper l'électorat *dalit* et se développe pour l'heure surtout dans l'Inde du Nord.

Le communisme en Inde

En 1964, dans le contexte du schisme sino-soviétique, le Parti communiste de l'Inde se divise en deux organisation rivales, le PCI et le PCI (M) ou Parti communiste de l'Inde (marxiste). Le premier est pro-soviétique. Le second, soutenu à l'origine par la Chine, prend en 1967 ses distances par rapport à Pékin. Une fraction du PCI (M) décide alors de créer son propre parti, le PCI (ML) (i.e. marxiste-léniniste), maoïste et favorable à la lutte armée. On le qualifie souvent de « naxaliste », après que ses militants aient soutenu, dans le village de Naxalbari (Bengale occidental), un premier soulèvement armé de paysans. A l'échelle de toute l'Inde, PCI et PCI (M) réunis recueillent actuellement environ 8 % des voix aux élections législatives générales. Ils ne présentent pas de candidats dans toutes les circonscriptions.

Le PCI (M) est le parti le plus important. Il dirige actuellement (1999) le Kérala, où il recueille plus de 30 % des voix, et le Bengale occidental (40 % des voix). Le Kérala a été le premier Etat de l'Inde à devenir communiste, en 1957. Le Bengale occidental est dirigé sans interruption depuis 1977 par le même *Chief minister* communiste, Jyoti Basu. C'est l'Etat le plus stable de l'Inde. Dans les autres Etats de l'Inde, le PCI (M) est beaucoup plus faible ou quasi inexistant.

Jyoti Basu aurait pu devenir Premier ministre de l'Inde au lendemain des élections législatives de 1996, remportées par le « Front uni ». Toutes les composantes du Front le lui avait proposé. Lui-même était d'accord, ainsi que le secrétaire général de son parti, un sikh. Le Parti du Congrès, dans l'opposition, était prêt à le soutenir. La majorité du Bureau politique du PCI (M), enlevée par ses « jeunes turcs », en décida autrement, estimant que la gauche était trop faible pour pouvoir remettre en cause la politique de libéralisation économique et que les communistes n'avaient pas intérêt à entrer au gouvernement. Au congrès du parti, en 1998, un tiers environ des délégués maintiennent que cette décision de non-participation fut erronée.

La poussée du mouvement nationaliste hindou

A partir du milieu des années 1980, l'Inde est marquée par la montée du nationalisme hindou. Le vieux parti Jan Sangh créé en 1951, qui recueille à peine 3 % des voix aux élections de 1952, étant parvenu à rénover ses structures au lendemain de l'état d'urgence, acquiert soudain une nouvelle dimension. Depuis 1980, il est devenu le Bharatya Janata Party (BJP). Il est lié à des organisations violentes et provocatrices à l'encontre de la minorité musulmane, comme le fascisant Rashtriya Swayamsevak Sangh (Association des volontaires nationaux) et la Vishva Hindu Parishad (Association hindoue universelle). Son alliance avec le Shiv Sena, parti régional très influent à Bombay et ses alentours, permet aux nationalistes hindous de diriger en 1995 l'Etat le plus industrialisé de l'Inde, le Maharashtra. La percée du BJP bouleverse en quelques années la donne politique. De 7,4 % des voix en 1984, le BJP passe à 11,4 % en 1989, à 20,2 % en 1991, à 20,3 % en 1996, puis 25,5 % en 1998.

Le Shiv Sena de Bombay

« Le Shiv Sena, littéralement « l'armée de Shivaji » [...] est née à l'initiative d'un noyau de nationalistes hindous convaincus, dans la foulée du mouvement d'accession du Maharashtra au statut de province (1954-1960). Ce mouvement [...] fut d'abord mené par des progressistes affirmés. Il exhala pourtant des rancœurs chauvines [...] pendant que l'on reprenait et exaltait de tous bords l'épopée de Shivaji, fondateur de l'Empire marathe (1672-1818) [farouchement opposé à l'empereur moghol Aurangzeb]. La légende du héros-guerrier était partiellement fondée sur le thème du Juste souverain, localement très valorisé puisqu'il est le fil conducteur du *Ramayana*. L'histoire et le mythe opèrent depuis trois siècles une lente fusion dans la tradition orale populaire du Maharashtra. [...] Shivaji incarna l'idée d'un pouvoir juste, efficace et hindou ».

Gérard Heuzé, *Politique et religion dans l'Asie du Sud contemporaine*, p. 140.

Les nationalistes hindous ont un objectif simple : faire de l'Inde le pays de l'*hindutva* (l'« hindouité »). Se posant comme les lointains héritiers du courant « extrémiste » ou « révolutionnaire » existant au sein du Parti du Congrès à l'aube de la lutte d'indépendance nationale, s'estimant les seuls vrais dépositaires de la « culture » hindoue, ils s'en prennent directement à la construction laïque de la République indienne. Le moment culminant de la montée du mouvement fut la destruction, en 1992, d'une vieille mosquée du XVIe siècle prétendument construite sur le lieu de naissance du dieu Ram, dans la ville d'Ayodhya en Uttar Pradesh. Elle fut précédée d'une intense campagne de mobilisation du BJP organisée dans toute l'Inde sur la base d'une *Rath Yatra* (procession de chars) chargée de symboles religieux.

Le *Rath Yatra* du BJP

« Dans chaque village sur le long de la route [...] des foules se comptant tantôt par centaines, tantôt par milliers vinrent voir [Advani, l'un des leaders du BJP]. Dans les villes, ils s'entassaient sur les toits pour apercevoir l'homme à lunettes sur le *Rath* (char). Dans les villages, ils se perchaient dans les arbres, soufflaient dans les conques [instruments associée à Vishnou] et les femmes, parées avec éclat, accomplissaient le rite de *arti* [cercles de feu tracés dans l'air, avec à la main une bougie ou une lampe à huile] ».

Indian Express, New Delhi, 14 octobre 1990.

Les musulmans sont les premières victimes de l'affaire d'Ayodhya. Les émeutes intercommunautaires, souvent organisées autour de cet enjeu, passent d'une moyenne annuelle de 400 entre 1980 et 1985 à environ 700 en 1986-1989 et entre 1 000 et 2 000 entre 1990-1993. Elles font des centaines de morts. Les musulmans constituent pour les nationalistes hindous une sorte de bouc émissaire destiné à cristalliser par réaction le sentiment d'appartenance à la communauté hindoue parmi la majorité des Indiens. « En 1989, 47 des 88 circonscriptions où le BJP l'a emporté se situaient dans des localités qui avaient été le théâtre d'émeutes au cours des mois précédents », constate Christophe Jaffrelot, un chercheur ayant systématiquement analysé les fondements du mouvement nationaliste hindou.

Les musulmans : des citoyens « de seconde zone »

En mai 1998, des militants hindous appartenant au Shiv Sena saccagent à Bombay l'appartement de M. F. Hussein, l'un des grands peintres indiens actuels d'origine musulmane. Aux yeux de ses agresseurs, Hussein a eu le tort de peindre dans les années 1970 la déesse Sita nue sur la queue du dieu-singe Hanuman. Les slogans proférés par les voyous explicitent leur programme : « Hussein est entré en Inde, entrons donc dans sa maison ! ». Le Shiv Sena veut ainsi signifier que les musulmans ne sont pas chez eux dans leur propre pays.

Pourquoi le mouvement nationaliste hindou est-il ainsi parvenu en quelques années à occuper une place centrale dans la vie politique indienne ? Tout d'abord en raison de l'intelligence tactique de ses dirigeants, qui parviennent à allier le militantisme de leurs slogans avec le pragmatisme de leur démarche électorale en n'hésitant pas à s'inscrire dans la logique du jeu parlementaire. Ensuite en raison du terreau fertile que constituent les peurs qui traversent l'électorat hindou. Une partie de ce dernier se sent menacée par l'instabilité, par les violences qui se font jour dans certains Etats, notamment au Punjab. Les assassinats de Indira Gandhi en 1984 et de Rajiv Gandhi en 1989 renforcent ce sentiment. Des millions d'électeurs en viennent à se dire que le repliement sur l'identité hindoue est la meilleure façon de préserver l'unité et la cohésion du pays. Enfin, et de façon contradictoire, beaucoup pensent que le BJP, une fois arrivé au pouvoir, saura se montrer raisonnable et ne pourra pas pousser trop loin la logique du syndrome identitaire qui agite le pays. Ceux qui pensent ainsi font valoir que l'hindouisme est par essence tolérant et que sa multiplicité intrinsèque, notamment la division des hindous en d'innombrables castes (*jati*), rend par nature très improbable toute tentative dictatoriale de sa part. Il n'y aurait donc pas de mal à voter pour le BJP. Celui-ci multiplie d'ailleurs, après l'affaire d'Ayodhya, les propos apaisants, afin de corriger son image de parti extrémiste.

Au lendemain des élections législatives de 1998, son dirigeant, A. B. Vajpayee, devient Premier ministre de l'Inde. Le BJP n'a cependant pas la majorité absolue à l'Assemblée du peuple. Le gouvernement doit compter sur le soutien d'une douzaine de partis régionaux qui l'ont rejoint pour la plupart par opportunisme et pour disposer de portefeuilles ministériels. Il lui est, en pratique, impossible de mener une politique radicalement différente de celle des gouvernements précédents, notamment dans le domaine économique. L'impact de son discours idéologique sur le pays n'est, certes pas, négligeable. Mais il ne parvient pas à faire oublier la « normalisation » d'un parti atteint, comme beaucoup d'autres, par divers scandales liés à la corruption. En novembre 1998, le BJP perd les élections législatives ayant lieu dans les quatre Etats du Manipur, du Rajasthan, de Delhi, et du Madhya Pradesh. Les défaites subies dans ces deux derniers Etats, deux bastions du nationalisme hindou, laisse mal augurer de sa capacité à garder longtemps la direction du pays.

La « castéisation » de la politique

Dans sa forme actuelle, le facteur caste fait irruption avec fracas dans la politique indienne en 1990. Le Premier ministre de l'époque (V. P. Singh) annonce soudain que son gouvernement étend la politique de discrimination positive en faveur « des autres classes socialement et culturellement arriérées », conformément aux recommandations de la commission Mandal. En divisant l'électorat hindou sur la question des castes, à partir d'un point de vue de justice sociale, V. P. Singh espère limiter la croissance du BJP qui, lui, appelle ses électeurs à « voter hindou » quelle que soit leur caste. Conçue à l'origine comme une manœuvre politique tactique (le BJP riposte en relançant sa campagne sur la question du temple d'Ayodhya), la politique de V. P. Singh ouvre une boîte de Pandore qui ne se refermera pas.

La commission Mandal

La commission présidée par B. P. Mandal, créée en janvier 1979, rend son rapport en décembre 1980. Jusqu'en 1990, aucun gouvernement ne se risque à appliquer ses recommandations. Au terme d'un rapport dense et documenté, la commission Mandal, dont les critères de définition des « autres classes arriérées » (« *other backward classes* » ou OBC) ne sont pas seulement fondés sur l'appartenance de caste mais aussi sur nombre de paramètres sociaux et culturels, constate l'existence d'un très haut degré d'inégalité. Les « castes arriérées » (52 % de la population) constituent seulement respectivement 4,69 %, 10,63 % et 24,40 % des fonctionnaires de Classe 1, 2 et 3-4. Elles sont proportionnellement moins bien représentées que les « castes répertoriées » (ou « intouchables ») et les tribus répertoriées (au total 22,5 % de la population) qui, ayant bénéficié depuis longtemps de quotas réservés, forment respectivement 5,68 %, 18,81 % et 24,40 % des fonctionnaires de Classe 1, 2 et 3-4. Pour corriger le phénomène, la commission Mandal propose de retenir le principe d'un quota de 27 % pour les OBC. Celui-ci s'ajoutera à celui de 22,5 % déjà en vigueur pour les castes et les tribus répertoriées. Ses recommandations s'inscrivent dans le cadre de la Constitution de l'Inde, qui retient elle-même le principe des « emplois réservés » pour corriger les effets du système des castes à condition de ne pas franchir le cap des 50 %.

En effet, compte tenu de l'importance des « castes arriérées » (les *« Other Backward Classes »* ou OBC de la nomenclature officielle) qui constituent 52 % de la population, aucun parti ou presque, ne peut se permettre de rejeter les propositions de la commission Mandal. Les électeurs OBC, devenus conscients de l'impact de leur poids électoral, se montrent très attentifs à voter pour les partis qui leur sont favorables. Dans tous les Etats, au Nord comme au Sud, les gouvernements locaux décident alors d'appliquer les quotas, non sans surenchère. Partout, des élites nouvelles issues des basses castes arrivent au pouvoir. Par exemple, en 1990, au Bihar, la caste intermédiaire des Yadav (à l'origine une caste de bouviers, 11 % de la population de l'Etat) contribue à porter au pouvoir l'un des siens, Laloo Prasad Yadav, le dirigeant du Janata Dal. En 1993, en Uttar Pradesh, c'est un autre Yadav, Mulayam Singh Yadav, à la tête du Samajwadi Party (Parti socialiste) qui prend la direction du gouvernement.

Le processus, une fois lancé, ne se confine cependant pas aux OBC. Les « intouchables », à leur tour, s'organisent. Ils refusent, on l'a vu, l'appellation désuète et paternaliste de *harijan* pour adopter celle de *dalit* (les « opprimés »). En Uttar Pradesh, Kanshi Ram, un *dalit*, assistant chimiste dans le secteur public, crée en 1984 un nouveau parti et lui donne le nom de Bahujan Samaj Party (BSP), qu'on pourrait traduire comme le « parti du nombre » ou le « parti de la plèbe ». Violent dans son expression, populiste, le BSP parvient en 1995 à faire désigner l'un des siens à la tête du gouvernement de l'Uttar Pradesh, une femme *dalit* de la caste Chamar (une caste de cordonniers), Mayawati, au verbe haut. Son passage au pouvoir ne dure que quelques mois, mais sa présence est un motif de fierté pour sa communauté : aux élections législatives générales de 1996, le BSP, avec plus de 20 % des voix, fait plus que doubler son score par rapport aux précédentes élections de 1996. Il est clair que l'appartenance à la caste, revendiquée haut et fort, est devenue un facteur précipitant des millions de gens dans la vie politique. Aujourd'hui, en Inde, ce sont d'ailleurs les plus démunis et les ruraux qui, plus que l'élite urbaine, tiennent à se déplacer le jour des élections. En Inde, les pauvres, plus que les riches, comptent donc sur la démocratie élective pour voir leur sort s'améliorer. En 1996, une grande enquête du prestigieux *Centre for the Study of Developing Societies* de Delhi indique que parmi les catégories de la population où l'on vote plus que la moyenne figurent les «très pauvres» (+ 2,9 points), les castes « répertoriées » (+ 1,9 point) et les ruraux (+ 1,1 point). Les hautes castes, les habitants des villes et les diplômés de l'Université au niveau de la licence votent quant à eux nettement moins que la moyenne.

Système des castes et démocratie

Que la démocratie politique indienne prenne en compte officiellement le facteur caste peut paraître antidémocratique, notamment dans les pays occidentaux dominés par l'idée selon laquelle l'individu constitue la base du système démocratique. Les choses ne sont cependant pas si simples. Christophe Jaffrelot, dans un livre récent, *La Démocratie en Inde*, l'explique fort bien. En Inde, l'émancipation de l'individu est avant tout conçue dans le cadre de sa communauté. C'est donc sa communauté, en l'occurrence sa caste qui, en évoluant, lui permet d'acquérir plus de droits et de libertés. On retrouve un peu ce type d'idées chez ceux qui, en Europe, ont estimé à un moment donné que le développement de la démocratie devait nécessairement s'appuyer sur le rôle accru des corps intermédiaires, qu'il s'agisse de groupements professionnels, de guildes, de corporations, voire de la famille. C'est un peu la même chose en Inde avec la caste. Durant des siècles, la caste contribua à définir le statut de l'individu dans la société, selon une échelle graduée en terme de pureté et d'impureté. Même alors, la place des castes n'était pas quelque chose de totalement figé. Les individus avaient toujours le souci de ne pas déchoir ou, au contraire, de monter dans le système. Et il y avait des associations de castes dont l'objectif était précisément de permettre ou de ne pas permettre ce genre de choses. Quand les Britanniques arrivèrent en Inde, ils utilisèrent les castes, non sans les réinterpréter à l'aune de leurs valeurs et de leurs propres objectifs, comme le moyen de représenter des groupes d'électeurs dans leurs institutions représentatives de l'époque. Telle caste ou tel groupe de castes étaient dotés d'un certain nombre d'élus à l'Assemblée. Cette façon de faire, bien sûr, enclencha un premier processus de politisation. Les leaders des castes multiplièrent les efforts pour que leurs castes soient bien représentées. Ce faisant, ce n'est pas tant le statut social dans l'échelle de la pureté et de l'impureté qui était important, que le pouvoir politique auquel donnait droit une bonne représentation. Les castes commencèrent donc à s'organiser en fonction du nouveau jeu politique. Elles devinrent une des pièces du lent processus de démocratisation. Dès lors, le système des castes ne contredit pas l'essor de la démocratie, mais contribue à lui donner de la substance.

Il est clair que la « castéisation » de la politique indienne aura dans les années qui viennent de très grandes conséquences. Pour apprécier le phénomène, il convient cependant de prendre quelques précautions.

Tout d'abord, la nouvelle définition donnée à la caste, plus économique et politique, n'implique pas pour autant, une transparence plus grande du phénomène des classes sociales. Etre OBC, *shudra* ou *dalit*, ne signifie pas que l'on est « pauvre », même s'il est nombre de pauvres et d'exploités dans ces catégories. Le développement du capitalisme rural induit en fait de fortes différences de classe au sein des castes. Non seulement, il existe des gens de hautes castes (*varna*) qui peuvent être plus pauvres que ceux des basses castes. Mais encore, au sein des nombreuses castes (*jati*) rurales, les inégalités sociales se creusent. Et les dirigeants des nouveaux partis de castes qui se créent font sans doute partie des élites montantes issues de ces castes. La politique qu'ils préconisent répond donc probablement aux intérêts des éléments les plus aisés de ces castes. La politique des quotas dans la fonction publique, par exemple, bénéficie systématiquement aux enfants les plus éduqués des « tribus répertoriées », des « castes répertoriées » ou des OBC. La Cour suprême, en 1992, ressent elle-même le besoin d'interdire l'accès des quotas d'embauche aux plus riches des OBC, ceux qu'elle appelle « la crème de la crème ». Récemment, un comité d'experts a proposé que soient exclus du bénéfice des quotas les enfants de familles paysannes possédant plus d'un certain nombre d'hectares en terres irriguées. L'un des principaux partis défendant les OBC, le Janata Dal, a alors immédiatement protesté ; soutenu par le Parti du Congrès, il a fait fortement atténuer la portée de la proposition en faisant rehausser le plafond de la superficie des terres pour limiter le nombre des bénéficiaires de quotas. Cet exemple illustre bien la façon dont la paysannerie riche appartenant à des castes (*jati*) « arriérées » essaye de profiter de l'évolution actuelle. De ce point de vue, on peut donc s'attendre en Inde, dans les années qui viennent, à une très lente mais sourde bataille consistant à réviser les critères de définition des « castes arriérées » dans un sens moins « castéiste » et plus « classiste », c'est-à-dire plus économique et social.

On ne peut pas faire, non plus, l'adéquation entre caste et parti politique. D'une part, parce que les OBC, la seule catégorie représentant un peu plus de 50 % de la population, est une catégorie très composite. On l'a bien vu au cours des années 1990 en Uttar Pradesh. Passée la première phase, les organisations censées représenter les OBC se sont divisées et n'ont pu se maintenir au pouvoir. Factionalisme et querelles de chefs sont l'un de leurs traits essentiels. D'autre part, parce qu'aucune caste (*varna* ou *jati*) n'est en mesure de jouer à elle seule un rôle dirigeant. Aucune d'entre elles ne représente plus de 30 % de la population, sauf les Marathes au Maharashtra. Dans tous les Etats de l'Inde, l'éparpillement des castes implique que les partis politiques nouent des alliances qui, par nature, seront instables et ouvertes à toutes sortes de combinaisons propices aux marchandages politiciens les plus divers. Enfin, parce que tous les grands partis traditionnels, très conscients du phénomène, présentent dans chaque circonscription des candidats appartenant aux castes les plus nombreuses de la localité, cherchant ainsi à « couper l'herbe sous le pied » des nouveaux partis de castes qui cherchent à se créer.

Enfin, on ne saurait imaginer qu'une alliance entre OBC et *dalit* puisse modifier durablement le jeu politique. Certes, une telle alliance s'est forgée au cours des années 1990 en Uttar Pradesh. Elle a focalisé l'attention du pays. Et puis, assez vite, elle s'est défaite. Pour une raison fondamentale : l'élite des OBC n'a que faire des intérêts des *dalit*. Plus même : sur le terrain, la confrontation est parfois très dure entre OBC et *dalit*, souvent plus dure qu'entre hautes castes (*varna*) et *dalit*. Le facteur classe joue ici à plein : les *dalit* sont souvent les ouvriers agricoles ou les domestiques des OBC dominantes au niveau local. Ces dernières tolèrent très mal que leur main d'œuvre cherche à monter dans l'échelle sociale ou réclame des salaires décents. Cette attitude est à la racine d'un grand nombre de heurts violents qui ont eu lieu au Nord de l'Inde ces dernières années. Les *dalit* sont presque toujours les victimes de ces exactions, qui revêtent parfois un caractère abominable : viols de masse, villages brûlés.

Corruption et criminalisation de la politique

Le développement de la corruption et la criminalisation de la politique sont, en un sens, l'une des conséquences de la démocratisation de la vie publique. Le clientélisme traditionnel de l'époque Nehru ne suffit plus à gagner une élection – l'époque fut d'ailleurs peu riche en scandales et la fonction publique était encore majoritairement animée par l'idéal du service public. Aujourd'hui, il faut convaincre l'électeur, et pour ce faire, dépenser beaucoup d'argent. Si cela ne suffit pas, certains n'hésiteront pas à utiliser d'autres procédés, comme la fraude, l'intimidation, voire la violence, pour l'emporter contre leurs adversaires. Les besoins d'argent des partis politiques deviennent désormais considérables. Pendant longtemps – ce fut un secret de Polichinelle – les grands groupes industriels financèrent les campagnes du Parti du Congrès. Ils ne s'en cachaient d'ailleurs pas, fiers de participer à l'essor du « parti de la lutte d'indépendance nationale ». Mais le climat commence à se modifier dans la seconde moitié des années 1960. Les bailleurs de fonds, de plus en plus sollicités, commencent à rechigner devant les appétits de plus en plus gourmands d'un Parti du Congrès en perte de vitesse. La direction du parti tend alors à lorgner du côté des contrats publics pour alimenter ses caisses. Le processus se développe au cours des années 1970. Il prend une nouvelle ampleur avec Rajiv Gandhi, qui « tombe » en 1989 à la suite d'un monumental scandale lié à des contrats d'armements conclus avec des firmes étrangères. La corruption se « privatise » et s'emballe avec la politique de libéralisation économique lancée en 1991. Le Premier ministre N. Rao fait personnellement l'objet d'une procédure judiciaire et plusieurs de ses ministres doivent démissionner à propos d'une immense affaire d'agent sale en provenance de l'étranger que plusieurs intermédiaires blanchissent en versant des pots-de-vin à des dizaines d'hommes politiques pour faciliter la signature de contrats avec des firmes étrangères.

Le cynisme ambiant et le culte de l'argent, joints à l'instabilité politique accrue qui incite les dirigeants politiques à soudoyer des députés pour trouver des majorités, gangrènent désormais la vie politique. Les derniers venus sur la scène, les partis régionaux et les partis de caste, ne sont pas les moins prompts à se jeter dans la boue. Au niveau local, de nouveaux rapports se nouent entre réseaux mafieux et politiciens avides de succès électoraux. Au Bihar, on compterait un tiers des députés soumis à des procédures pénales diverses pour fraude, meurtres ou viols. Chaque semaine ou presque amène son lot de scandales : on y trouve mêlés réseaux de prostitution, trafics d'armes, ventes d'alcool frelaté, détournements de fonds sociaux, avec les noms de célébrités du cinéma, de juges, de hauts fonctionnaires, etc. Une exception notable : celle des partis communistes. Le cas est si déviant qu'il provoque un sentiment de sympathie envers la personne de Jyoti Basu, membre de la direction du Parti communiste de l'Inde (marxiste) et *Chief minister* du Bengale occidental, sollicité en 1996 pour devenir Premier ministre de l'Inde.

Les tentatives de réformes

Devant ces nouveaux développements, qui risquent à terme de remettre en cause la confiance actuelle de la population dans le système démocratique du pays et ses institutions – une perspective terrifiante pour l'avenir même de l'Inde dont l'unité repose précisément sur sa capacité à assurer l'expression légitime de ses très diverses sensibilités religieuses, régionales ou politiques –, plusieurs tentatives ou propositions de réformes se font jour. Certaines se développent de façon spontanée ou *ad hoc*. Au cours de ces dernières années, on note ainsi un certain raidissement de la justice contre le pouvoir politique, que ce soit au niveau de la Cour suprême ou de la Commission électorale. Une sorte de « pouvoir des juges » essaye de limiter les effets désastreux de la corruption et de la criminalisation de la politique. Force est, cependant, de constater qu'il s'avère limité : on ne compte plus, dans la dernière période, les déplacements injustifiés de juges et de policiers. D'autres réactions sont plus institutionnelles. Les propositions les plus intéressantes et les plus complètes ont été formulées par la commission Sarkaria (du nom de son président) dont le rapport a été publié en 1983. On y préconise notamment une certaine révision du système fédéral indien, dans un sens favorable à la décentralisation. Sans doute existerait-il en Inde un consensus sur l'idée selon laquelle il faudrait vivifier la démocratie au niveau local en obligeant les Etats à organiser systématiquement des élections municipales dans les villes et les villages (ce qui est loin d'être le cas) et en donnant plus de moyens et de pouvoirs à leurs assemblées élues (les *panchayat*), ainsi qu'en développant l'autonomie des Etats (y compris dans le domaine financier). En revanche, on note nombre de prises de positions différentes sur la question même du système parlementaire au niveau de l'Union. Si certains partis, notamment à gauche, restent très attachés à la grande tradition parlementaire indienne et conçoivent son Assemblée du peuple comme le lieu essentiel de la souveraineté populaire, d'autres, notamment à droite, seraient favorables à la présidentialisation du régime et avancent même parfois l'idée de l'élection d'un président de la République au suffrage universel, une refonte constitutionnelle que la diversité de l'Inde rend toutefois très aléatoire. En tout état de cause, mais c'est précisément l'un des problèmes que les Indiens aimeraient résoudre, l'instabilité politique croissante du pays permet difficilement l'introduction de réformes.

Tout semble l'indiquer, l'Inde devra donc chercher, dans le cadre actuel de ses institutions et de ses nouvelles coalitions partisanes, la solution à ses tensions actuelles qui sont tout autant le signe des contradictions de sa démocratie, à laquelle elle paraît être condamnée pour survivre, que celui de sa vitalité.

Le sens et la puissance

Les notions communes de sens et de puissance, pour reprendre les catégories utilisées par un spécialiste des relations internationales, Zaki Laïdi (L'ordre mondial relâché : sens et puissance, 1992), constituent une grille d'analyse commode pour situer le rôle et la place de l'Inde indépendante dans les relations internationales. Le sens relève du domaine du symbolique, des valeurs ou de la morale. On dira d'un pays qu'il «fait sens» dans le monde si les valeurs qu'il véhicule ou qui lui sont attribuées permettent de donner à sa politique une intelligibilité immédiatement partagée par la plupart des observateurs. La puissance, en revanche, caractérise la force matérielle d'un Etat. On définira ainsi le degré de puissance d'un pays selon l'importance de son armée ou de son industrie. Si on accepte ces définitions, on voit tout de suite qu'un pays peut être porteur de sens sans pour autant être puissant. L'exemple classique est celui de la Russie de 1917 qui, parce qu'elle vient de faire sa révolution, acquiert soudain du sens dans le monde de l'après-première-guerre-mondiale qu'elle contribue à ordonner de façon différente autour de valeurs nouvelles, alors qu'elle ne dispose pas encore des attributs de la puissance et qu'elle est même singulièrement faible sur les plans économiques et militaires. Inversement, le même pays, encore très puissant à la veille même de sa disparition, a épuisé alors tout son « sens ». L'Inde indépendante se prête également à ce type de distinction. Plus même, elle en joue. De 1947 à 1962, période pendant laquelle son influence dans le monde est inversement proportionnelle à sa puissance, l'Inde tire profit de sa faiblesse pour valoriser plus encore son image morale dans le monde. En 1962, sa défaite face à la Chine lui rappelle cependant douloureusement qu'un Etat sans puissance ne peut durablement jouer un rôle à l'extérieur. A partir de 1971, elle se lance alors résolument dans une politique de puissance, non sans en payer le prix : une perte de sens qu'illustre en 1998 son entrée fracassante dans le club des nations dotées de l'arme nucléaire.

CHAPITRE 9

Le sens sans la puissance

En 1947, de sens, l'Inde n'en manque pas. Pauvre, elle fait rapidement figure de pays du Tiers-Monde par excellence. L'exemplarité de son système politique lui donne le titre prestigieux de « plus grande démocratie du monde ». Dans les années 1950 et 1960, certains voient même en elle le modèle démocratique que les pays pauvres auraient intérêt à suivre pour se développer sans tomber dans le communisme : un contre-modèle au modèle chinois en quelque sorte. Et l'aura du Mahatma Gandhi confère à l'Inde une image morale très forte, celle d'un pays non-violent, tolérant et pacifique. Du moins, l'Inde est-elle perçue ainsi, et c'est l'essentiel puisqu'en matière de sens, tout est affaire de perception. C'est ce sens aux multiples facettes que New Delhi place, à son indépendance, au service d'une politique elle aussi riche en significations : la politique de non-alignement. Nehru, qui garde sous sa responsabilité le portefeuille des Affaires étrangères, en est l'un des principaux architectes dans son pays et dans le monde.

Humanisme, paix et modération

La référence première de la politique extérieure de l'Inde est l'humanisme au sens le plus général du terme. Comme l'écrit Nehru au début des années 1930 dans un livre dédié à sa fille Indira, le Parti du Congrès situe sa lutte pour l'indépendance dans le cadre du « grand combat de l'humanité contre la souffrance et la misère ». « Nous pouvons nous réjouir d'être en train d'ajouter notre petite pierre au progrès du monde », lui dit-il. « Je ne connais pas d'autre mouvement nationaliste si libre de haine que le nôtre », lui écrit-il encore de sa prison en 1944. Gandhi fut un intense nationaliste ; il était en même temps un homme qui pensait avoir un message non seulement pour l'Inde, mais pour le monde ; il désirait ardemment la paix mondiale. Son nationalisme, totalement dénué d'intention agressive, s'accompagnait donc d'une certaine vision du monde.

Désirant l'indépendance de l'Inde, il en était arrivé à penser qu'une fédération mondiale d'Etats interdépendants serait le seul objectif juste, aussi éloigné soit-il ». Toute sa vie, Nehru restera hanté par le rêve de l'unicité d'un monde, d'un « Monde-Un » (*One-World*), selon ses termes, où chaque nation jouerait sa partition particulière. La création de l'ONU au lendemain de la seconde guerre mondiale lui semble aller dans cette direction. L'Inde de Nehru y fait donc entendre systématiquement sa voix et c'est l'un de ses principaux forums. La recherche prioritaire de la paix et du désarmement est le corollaire de cette approche. L'Inde indépendante consacre jusqu'au début des années 1960 l'immense partie de son budget à des dépenses civiles de développement. Son prestige international en sort grandi. Capitale d'un pays pauvre, New Delhi n'en est pas moins l'un des grands lieux diplomatiques du monde. Le fait qu'elle sache à la fois rappeler ses principes avec clarté et les énoncer de façon modérée et peu idéologique y contribue pour beaucoup.

L'interdépendance universelle selon Nehru

« La finalité des Etats du monde n'est pas l'indépendance en isolation ; elle est l'interdépendance volontaire. Les meilleurs esprits du monde ne désirent pas aujourd'hui une indépendance absolue des Etats en guerre les uns contre les autres, mais une fédération d'Etats amis et interdépendants. Cette perspective est sans doute très éloignée. Mais dire que nous sommes disposés à l'interdépendance universelle plutôt qu'à l'indépendance ne me paraît pas quelque chose de spécialement utopique ou d'impossible ».

J. Nehru, *The Discovery of India*, p. 420.

Ferme, l'Inde l'est de principe sur la plupart des grands problèmes de l'époque. Elle s'oppose à la division de la planète en deux blocs, l'Ouest contre l'Est. Elle soutient la cause de l'indépendance nationale des peuples colonisés. Elle s'oppose à l'impérialisme des nations riches. Elle condamne la politique raciste de l'Afrique du Sud. Sur toutes ces questions, les dirigeants congressistes bénéficient de leurs expériences. Des décennies durant, ils se sont frottés quotidiennement aux réalités du mouvement populaire. Ils ont pris l'habitude de parler aux masses, pauvres de surcroît. Ils ont eu le temps de mesurer leur importance et leur rôle historique. C'est une leçon irremplaçable. Nehru la transpose au niveau international. Il est convaincu qu'il faut compter sur le mouvement de l'humanité la plus nombreuse pour parvenir à desserrer l'étau d'un monde divisé en deux blocs. Au lendemain de la seconde guerre mondiale, rares sont les hommes d'Etats ayant cette vision à long terme consistant à dire en substance : « Misons sur le mouvement des peuples les plus dominés et sur les futurs Etats qui ne manqueront pas de se libérer de la tutelle coloniale pour modifier la texture des relations internationales ». A ceux qui, dans son pays, l'accusent de manquer de réalisme et de poursuivre une politique idéaliste, Nehru réplique dès 1950 : « L'idéalisme, c'est le réalisme de demain. L'esprit réaliste ne voit guère plus loin que le bout de son nez ; il ne fait donc que trébucher ».

L'Inde n'en adopte pas pour autant un ton de croisade. Au cours de leur lutte, les dirigeants congressistes ont appris à canaliser, voire manipuler, les énergies populaires. Ils ont acquis un solide sens des réalités, non exempt de cynisme même s'il se drape aisément dans les plis du discours moral, voire moralisateur. Donneur de leçon, Nehru, l'est parfois, et cela irrite ici et là. Mais il sait aussi être réaliste, lui qui tient à avertir dès 1947 les députés de l'Assemblée constituante que « le réalisme domine tout à fait les relations extérieures aujourd'hui » et que « quelle que soit la politique que nous puissions énoncer, l'art de conduire les affaires étrangères d'un pays repose sur le fait de trouver ce qui est le plus avantageux pour celui-ci ». Et si Nehru agace fréquemment les capitales occidentales de l'époque avec ses « tirades anti-impérialistes », il n'en tient pas moins à leur égard un discours pragmatique lorsqu'il leur explique, pour défendre sa politique économique d'indépendance nationale, que « le développement rapide des pays les moins industrialisés est essentiel non seulement pour eux, mais encore pour l'économie mondiale et les intérêts des pays industrialisés comme les Etats-Unis ou la Grande-Bretagne », qui

« ont besoin de trouver des marchés d'exportation pour garder un certain équilibre». C'est avec la même modération qu'il intervient sur la question de la décolonisation. Nehru soutient en principe la lutte des peuples pour l'indépendance. Mais il se garde de heurter trop frontalement les intérêts des Etats français et anglais de l'époque. Par exemple, l'Inde déclare à la France que celle-ci devrait rendre son indépendance à l'Algérie, mais elle ne reconnaît pas officiellement le gouvernement provisoire de la République algérienne (GPRA) auquel elle refuse une représentation à New Delhi. Les seuls mouvements de lutte armée qu'elle soutiendra sont ceux des colonies portugaises (Angola, Mozambique). Cette attitude modérée permet à l'Inde de jouer un rôle de médiateur, ne serait-ce qu'en coulisse, dans diverses crises internationales. Elle en tire évidemment profit. C'est là l'un des aspects de sa politique de non-alignement.

Le non-alignement à l'indienne

Les premières résolutions que le parti du Congrès adopte à la fin du XIXe siècle portent déjà la marque d'une certaine vision de la société internationale, une société oligarchique dominée par quelques Etats européens impliquant les peuples colonisés dans leurs rivalités. En 1927, Nehru représente son parti au Congrès des nationalités opprimées de Bruxelles. Il y dénonce le fait colonial comme facteur permanent de guerre. Il confiera plus tard à l'un de ses biographes que la conférence de Bandoung de 1995 était « l'épanouissement d'une idée qui trouva sa première expression à Bruxelles en 1927 ». C'est dire combien la maturation des idées de Nehru remonte loin dans le passé. On ne saurait donc s'étonner de le voir dresser les grandes lignes d'action de la politique étrangère de l'Inde avant même qu'elle devienne indépendante. Il n'est que le chef d'un gouvernement intérimaire sous tutelle coloniale lorsqu'il déclare à la radio indienne le 7 septembre 1946 : « Nous entendons, autant que faire se peut, nous tenir à l'écart des politiques de puissance opposant des blocs alignés les uns contre les autres. Elles ont provoqué par le passé des guerres mondiales. Elles peuvent conduire à de nouveaux désastres sur une échelle plus grande encore», et de préciser : « Nous participons aux conférences internationales comme une nation libre avec notre propre politique et non pas seulement comme le satellite d'une autre nation ». Sur cette base, Nehru organise à New Delhi en mars 1947 une grande Conférence sur les relations asiatiques, réunissant 250 délégués de 25 pays d'Asie, véritable premier acte de politique étrangère de l'Inde indépendante. L'Inde, dès lors, ne changera plus de langage. La lutte contre les blocs lui apparaîtra toujours comme le prolongement naturel d'une réelle politique d'indépendance nationale et de paix, favorable à la coopération entre Etats de nature et de régimes différents. En vérité, comme chaque pays non-aligné choisit lui aussi de poursuivre sa propre politique, il est plus facile de définir le non-alignement par la négative, que d'en déterminer le caractère pour chacun d'entre eux.

Le non-alignement pour l'Inde, ce n'est...

• ni la neutralité. L'Inde n'est pas un pays neutre au sens précis que le droit international public donne à cette notion. Elle ne l'est pas non plus sur le plan politique. Comme le déclare Nehru en 1955 : « Là où la liberté est menacée et la justice en danger, là où se commettent des agressions, nous ne voudrions ni ne pourrions rester neutres... Nous ne sommes pas neutres lorsqu'il s'agit de la paix, d'une domination impérialiste, ou devant des problèmes économiques et sociaux » ;

• ni le neutralisme. Le neutralisme suggère un certain retrait ou prise de distance par rapport aux problèmes, la Birmanie ayant un temps appliqué le concept jusqu'à se replier totalement sur elle-même. Telle n'est pas la vision de New Delhi, qui qualifie volontiers son non-alignement de « positif », pour souligner le côté actif et entreprenant de sa politique extérieure ;

• ni l'équidistance. L'Inde n'entend pas mettre en œuvre une politique « d'équidistance », comme l'est celle du Népal entre la Chine et l'Inde. Ce n'est pas à la poursuite d'une politique d'équilibriste que les dirigeants indiens convient leur pays, mais à la meilleure et la plus rentable des politiques possibles, en jugeant chaque cas selon son mérite ;

• ni la tentative de créer un « troisième bloc » entre l'Est et l'Ouest. Les dirigeants indiens en rejetteront toujours expressément l'idée. Elle serait à leur yeux totalement contradictoire avec la liberté des pays membres du Mouvement des non-alignés de choisir à tous moments les options qui leur semblent les plus favorables.

L'Inde demeure toujours, à l'heure actuelle, l'un des pays les plus influents du Mouvement des non-alignés, même si elle s'y est faite critiquer pour ses essais nucléaires en 1998. Mais la chute du mur de Berlin et la disparition de l'URSS ont fait perdre au mouvement la plus grande partie de sa substance. Ses thèmes relatifs à la lutte contre les injustices économiques et, plus généralement, à l'instauration d'un « nouvel ordre international » conservent cependant leur actualité. L'avenir dira s'ils pourront faire l'objet de nouveaux rassemblements. Pour l'heure, force est de constater que le mouvement fait figure de moribond. Son affaiblissement, voire sa perte de pertinence, fait perdre à l'Inde l'une des tribunes qu'elle affectionnait et la contraint, plus que jamais, à faire cavalier seul.

Moscou : l'ami privilégié

L'Inde de Nehru entretient de bien meilleurs rapports avec l'URSS qu'avec les Etats-Unis, malgré l'hostilité initiale et têtue de Staline qui, quasiment jusqu'à sa mort en 1953, pensera que l'Inde est un valet de l'impérialisme britannique. La preuve, dit le Kremlin, c'est que New Delhi a adhéré au Commonwealth. Nehru aura beau nommer sa propre sœur ambassadeur de l'Inde à Moscou, Staline ne daignera jamais la recevoir. Quant à la presse soviétique, elle dénigre à l'occasion le Mahatma Gandhi, aimablement qualifié de « réactionnaire » et de « traître ». Le climat change du tout au tout avec l'arrivée de Krouchtchev au pouvoir. « L'amitié indo-soviétique » commence. Plusieurs séries de facteurs y contribuent.

Historiquement, du côté indien, on a toujours regardé avec sympathie du côté de la Russie. L'idée que cette dernière, après la révolution de 1917, puisse servir à limiter la puissance de l'Empire britannique en Asie séduit le Parti du Congrès, le Mahatma Gandhi y compris. C'est l'aspect contrepoids, et non pas idéologique, qui est ici important. A la fin du XVIIIe siècle, on l'a rappelé, Tipu Sultan n'avait-il pas déjà cherché à compter sur la France pour contrer la percée britannique au sud de son pays ? C'est un peu la même chose qui se répète avec l'URSS, utile aux yeux des Indiens à limiter l'influence américaine après avoir fait de même pour la Grande-Bretagne. La disparition de Staline change soudain la donne du côté soviétique. La nouvelle politique extérieure dite de « coexistence pacifique » entre pays de « nature de classe » différente conduit Moscou à regarder l'Inde avec intérêt. Pour la capitale soviétique, rien ne s'oppose plus au développement des relations entre le monde communiste et l'Inde capitaliste. Au contraire, la politique indienne de non-alignement comporte des accents qui plaisent à Moscou et permet au Kremlin d'espérer isoler les Etats-Unis dans les années à venir, grâce à la constitution d'un large front anti-impérialiste. L'intégration du Pakistan, l'ennemi de l'Inde, dans les systèmes d'alliances militaires occidentales tournées contre l'URSS contribue puissamment au rapprochement. Comme le dit à l'époque l'un des principaux diplomates indiens de l'époque : « La saga des relations indo-soviétiques est le plus beau rejeton de la politique indienne de non-alignement ».

Le Pakistan, l'allié de l'Occident

En 1954, le Pakistan entre dans l'Organisation du traité pour l'Asie du Sud-Est. L'OTASE comprend les Etats-Unis, la France, le Royaume-Uni, la Thaïlande, les Philippines, l'Australie, la Nouvelle-Zélande. En 1955, il adhère au *Central Treaty Organisation*. Le CENTO, outre les Etats-Unis, la France et le Royaume-Uni, rassemble à l'origine l'Irak, la Turquie et l'Irak. Ces deux traités marquent la texture des relations internationales en Asie durant les années 1950 et 1960. Le Pakistan est le seul pays d'Asie qui fait partie des deux pactes à la fois.

D'un point de vue économique et technologique, les deux pays trouvent matière à riche coopération dès lors que l'Inde décide de conforter son indépendance économique en développant son secteur public dans le domaine de l'industrie lourde. C'est un domaine que connaît bien l'URSS et où elle peut intervenir. Le soutien soviétique à la stratégie de développement mise en œuvre par les autorités indiennes s'exerce à plein. L'URSS fournit l'assistance financière et technique dans les domaines de la sidérurgie et de la métallurgie (complexes de Bhilai et de Bokaro), de l'exploration du pétrole et du gaz, du raffinage pétrolier (construction de la raffinerie de Barauni), de l'extraction de charbon, de l'hydroélectricité et de la machine-outil (usine de Ranchi). L'aide soviétique apparaît d'autant plus exemplaire que ces secteurs de l'économie planifiée sont négligés par l'aide occidentale. Le montant global de l'ensemble des contributions occidentales est pourtant beaucoup plus élevé que celui de l'aide soviétique. De 1954 à 1962, l'Inde reçoit 982 millions de dollars de la part des Etats communistes contre plus de 3,5 milliards de dollars de la part des pays occidentaux. Mais, plus que les chiffres, c'est la valeur symbolique d'une aide confortant les bases de l'indépendance nationale que l'opinion publique indienne retient. L'aide soviétique s'accompagne de transferts de technologies et de conditions de crédit très intéressantes pour l'Inde. Conçu sous forme de troc, le commerce entre les deux pays permet aussi à l'Inde d'économiser de précieuses devises. Accessoirement, le rôle soviétique, perçu comme un défi par l'Occident, incite les Etats-Unis à accroître de façon significative leur aide au secteur privé indien, ce qui n'est pas pour déplaire à New Delhi...

D'un point de vue politique et diplomatique, enfin, les Soviétiques ne lésinent pas sur leur nouveau soutien à l'Inde. Le Mahatma Gandhi est dorénavant qualifié d'« un des plus grands libérateurs de l'humanité ». La diplomatie soviétique soutient fréquemment les initiatives de l'Inde ou se retrouve à ses côtés dans nombre conférences ou débats internationaux. Elle utilise son droit de veto à plusieurs reprises pour faire échouer des résolutions occidentales à l'ONU concernant l'organisation d'un plébiscite au Cachemire. Elle bloque une résolution conjointe américaine, britannique, française et turque visant à demander l'arrêt des combats lors de l'opération militaire indienne lancée contre les forces portugaises à Goa en 1961. A la fin des années 1950, quand le différend frontalier sino-indien commence à se durcir, l'URSS se garde de soutenir la Chine, pourtant un pays communiste. Les milieux officiels indiens se félicitent de cette retenue qu'ils interprètent comme une attitude de « neutralité plutôt favorable » à l'Inde.

Les Etats-Unis : un « ami malgré tout »

Les premiers contacts entre les Indiens et les Américains sont plutôt détendus : les seconds font savoir aux premiers qu'eux aussi ont dû lutter contre les Anglais pour accéder à l'indépendance. Mais l'implacable logique de la seconde guerre mondiale oblige Washington à mettre un bémol à ses propos. L'Administration américaine refuse même d'aider l'Inde sur le plan alimentaire pendant la grande famine de 1943 au Bengale alors que ses troupes sont basées dans la région. L'Inde n'a pas été occupée par l'ennemi, fait-elle valoir. Les Indiens en garderont longtemps une certaine amertume.

A partir de 1947, toutefois, c'est essentiellement sur la question du non-alignement que se développent les divergences indo-américaines. Les Américains ne parviendront jamais à situer correctement les ressorts du non-alignement à l'indienne. Ils en font une sorte de neutralisme, une sorte de politique mi-figue, mi-raisin masquant l'hypocrisie d'un Etat qui dissimulerait ses positions pour mieux tenter d'arracher les faveurs des deux blocs à la fois, ou exprimerait une dangereuse naïveté devant l'adversaire communiste. A leurs yeux, il s'agit d'une politique à proprement parler incompréhensible qui cause un dommage inexcusable pour le monde libre. N'émane-t-elle pas, en effet, d'un pays démocratique, membre du Commonwealth ? Au plus fort de la guerre froide, on ne pense pas seulement à Washington que « tous ceux qui ne sont pas avec nous sont contre nous » ; le secrétaire d'Etat américain, Foster Dulles va jusqu'à qualifier le non-alignement d'« immoral ». La politique d'ouverture de l'Inde à l'égard de la Chine populaire, que Washington refuse de reconnaître sur le plan diplomatique, irrite tout particulièrement les Américains.

Quant à l'Inde, elle reproche à ces derniers de militariser le Pakistan au nom de la défense des intérêts occidentaux dans la région. Cette politique, dit-elle, pose un grave problème pour la sécurité indienne et entrave tout processus éventuel de détente entre le Pakistan et New Delhi. Très attachée à sa souveraineté nationale, l'Inde n'accepte pas non plus les tentatives visant à lier directement l'aide qu'elle demande à des conditions susceptibles de lui faire modifier ses options en matière de politique étrangère et économique. « Ils s'attendaient à un acquiescement de ma part sur tout et ne voulaient pas aider l'Inde pour moins que cela », dit Nehru en rentrant des Etats-Unis en 1949, où son premier voyage se solde par un échec.

Et pourtant... Washington débourse beaucoup d'argent pour l'Inde. Bilatéralement et multilatéralement. Sans compter l'aide alimentaire. Washington vote en 1954 l'*Agricultural Trade Development and Assistance Act* (la fameuse *Public Law* 480, dite PL 480) qui permet l'exportation de denrées alimentaires payables en roupies. Les Etats-Unis utiliseront ces roupies pour financer des projets locaux et l'entretien de leurs missions diplomatiques. Deux envois massifs de blé sont effectués en 1956 et 1960, un troisième l'est en 1967, quoique avec retard, pour pallier les effets d'une disette ; en partie pour éviter que l'Inde ne se tourne encore plus vers le bloc soviétique. L'Inde le sait, et en joue, qui note que toute augmentation de l'aide soviétique engendre immanquablement des grognements chez les Américains... et de nouvelles aides. Bref, la relation qui s'établit entre l'Inde et l'Amérique n'est jamais détendue. Même les familles indiennes qui décident d'envoyer leurs enfants aux Etats-Unis pour parfaire leur éducation ou rêvent de les voir s'y installer ne se privent pas de critiquer la politique américaine. Attirance et répulsion : les Etats-Unis sont un « ami malgré tout ».

CHAPITRE 10

Les limites de la puissance

En 1962, à l'occasion de son humiliante défaite militaire face à la Chine, l'Inde découvre soudain des limites amères à sa puissance : son prestige acquis ne lui permet pas de contenir les appétits de son grand voisin du Nord. La Chine, c'est le « trou noir » de la politique extérieure de Nehru. La débâcle des troupes indiennes face à celles de la Chine montre que le sens est à lui seul incapable de compenser le manque de puissance.

La rivalité sino-indienne

Depuis longtemps, les dirigeants indiens savent que la Chine peut poser des problèmes à leur pays. Le premier ambassadeur de l'Inde dans ce pays, K. M. Panikkar, le note : « Il ne m'a pas fallu longtemps pour découvrir que l'attitude du Guomindang à l'égard de l'Inde, certes sincèrement amicale, était un peu condescendante. C'était l'attitude d'un frère aîné [...], prêt à donner son avis à son jeune frère [...]. La Chine accueillait favorablement l'indépendance de l'Inde, mais faisait comprendre qu'elle était la grande puissance reconnue en Asie après la guerre, et que l'Inde devait garder la place qui était la sienne ». A la Conférence sur les relations asiatiques de 1947, la délégation nationaliste chinoise rechigne devant la présence d'une délégation tibétaine. Les communistes ne sont pas encore arrivés au pouvoir – la République populaire de Chine est proclamée le 1er octobre 1949 – mais il est clair que la Chine, quelle que soit sa couleur politique, n'est pas prête à « lâcher » le Tibet.

L'Inde et le Tibet

En 1947, seuls quelques rares dirigeants congressistes, comme le vice-Premier ministre V. Patel, pensent que le Tibet peut être une carte diplomatique que l'Inde aurait intérêt à mettre dans son jeu quand elle discute avec les Chinois, et ne souhaitent donc pas reconnaître son appartenance à la Chine sans autre forme de procès. Le Premier ministre Nehru, quant à lui, comme beaucoup, ne veut pas que la question du Tibet porte ombrage aux relations sino-indiennes. L'Inde, après avoir un court moment évoqué la « suzeraineté » chinoise sur le Tibet, une notion un peu plus ambiguë que celle de « souveraineté », reconnaît donc rapidement que le Tibet fait partie intégrante de la Chine. En 1954, elle renonce à ses privilèges d'extraterritorialité hérités de l'Empire britannique. Elle aurait aimé que la Chine confère au Tibet une certaine autonomie dans le cadre de la République chinoise. Ne serait-ce qu'en raison du petit commerce frontalier indo-tibétain et des voyages de pèlerins. Le Gouvernement chinois permet d'ailleurs à l'ambassade indienne à Pékin de disposer quelque temps d'une petite antenne diplomatique au Tibet. Tout cela sera supprimé quand le Dalaï Lama se réfugiera en Inde en 1959. Mais, même à ce moment-là, l'Inde, quelles que soient ses sympathies pour le chef de la communauté tibétaine, ne remet pas en cause sa ligne politique : le Tibet appartient à la Chine. La guerre sino-indienne de 1962 ne modifiera pas la position de New Delhi.

Le Tibet, d'ailleurs, n'est pas vraiment une pomme de discorde entre l'Inde et la Chine. En revanche, sur la question des frontières, il existe bel et bien un différend entre les deux pays. Il a donné lieu, jusqu'à ce jour, à des tonnes de rapports et de cartes aussi disputés, et parfois aussi imprécis, les uns que les autres. Schématiquement, les Indiens considèrent que le tracé frontalier fixé par les Britanniques entre la Chine et l'Inde doit être maintenu. Les Chinois répondent qu'il leur est défavorable, qu'il leur a été imposé, qu'il ne l'ont d'ailleurs jamais formellement entériné et que, en conséquence, un certain nombre de territoires placés en Inde devraient l'être en Chine. La question se complique quand on connaît l'immensité du délimité frontalier, son imprécision totale en nombre d'endroits faute de bornage, et les difficultés à aller le reconnaître sur le terrain dans des régions culminant souvent à plus de 6 000 mètres. Au total, le différend

Problèmes frontaliers

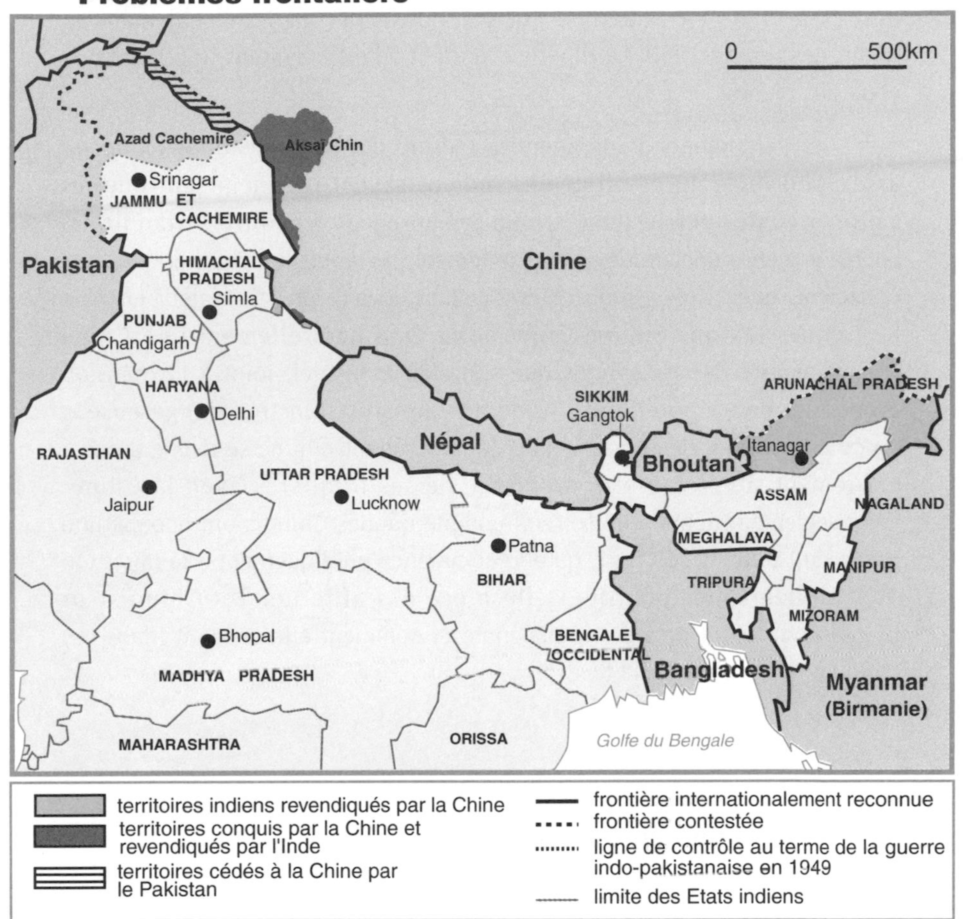

porte sur 125 000 km^2 : 90 000 km^2 dans le secteur est (au sud de la ligne Mac-Mahon), 2 000 km^2 dans le secteur central et 33 000 km^2 dans le secteur ouest (l'Aksai Chin, au Ladakh). C'est au Ladakh qu'il a un caractère vital aux yeux des Chinois, car le contrôle des vallées de cette région permet de relier plus facilement deux parties du Tibet entre elles et donc de mieux contrôler l'ensemble de la région. C'est d'ailleurs dans cette zone non bornée que les Chinois commencent à construire une route stratégique dès 1955-1956, une entreprise que les Indiens découvriront seulement au début des années 1960. Le différend portant à l'est est moins important aux yeux des Chinois.

Même s'ils prennent la mesure des revendications chinoises assez tardivement, les dirigeants indiens savent pertinemment que les Chinois contestent le tracé frontalier hérité de l'Empire britannique. En 1959, Nehru déclare devant le Parlement : « Depuis le début, nous étions conscients que la révolution chinoise allait devenir un fait majeur en Asie [...]. Nous savions qu'une Chine forte était naturellement une Chine expansionniste. Nous sentions que son élan industriel, joint à l'expansion étonnante de sa population, créerait une situation très dangereuse ». Force est pourtant de constater que, jamais, New Delhi ne se risque à poser clairement sur la table le problème de ses frontières avec la Chine. C'est seulement quand elle se rend compte que les Chinois ont occupé une partie du Ladakh à son insu, qu'elle commence publiquement à le faire. On peut se demander pourquoi elle n'ose pas affronter les Chinois sur la question durant près d'une décennie et comment elle espérait, dans ces conditions, la régler en sa faveur.

La clé de la politique extérieure indienne

• « L'attitude de l'Inde constitue la pièce la plus complexe du puzzle de la politique étrangère indienne. C'est la moins facile à comprendre, mais c'est en même temps la clé de l'ensemble. Fondamentalement, les déclarations du Gouvernement indien ne correspondent pas à l'appréciation réelle que celui-ci fait de la position chinoise. Je soupçonne que c'est la peur qui motive à la base les Indiens. Ils pensent qu'ils doivent à tout prix éviter de se laisser entraîner dans un conflit avec la Chine. Ils croient que la seule chose à faire est de garder des relations amicales avec la Chine communiste. Ils estiment qu'y parvenir vaut à peu près n'importe quel prix ».

Dépêche à Londres de l'ambassadeur britannique en Inde, 29 août 1952, archives diplomatiques, Foreign Office, Londres.

• « Les relations amicales avec la Chine ont été toute la pierre angulaire de notre politique, nous avons failli nous brouiller avec d'autres nations à cause de celle-c i».

J. Nehru, lettre à K. M. Panikkar, ambassadeur de l'Inde en Chine, 25 octobre 1950, citée par S. Gopal, *Jawaharlal Nehru. A Biography*, p. 107-108.

La stratégie de la toile d'araignée

La crainte qu'éprouve l'Inde vis-à-vis d'une Chine perçue comme plus puissante explique la politique indienne à l'égard de la Chine. Cette crainte conduit la capitale indienne à développer envers Pékin une politique d'amitié systématique. C'est la seule politique possible, dès lors que l'Inde a choisi le non-alignement et ne peut compter sur le soutien d'aucun allié militaire en cas de conflit. En amadouant la Chine, l'Inde cherche à la contraindre à renoncer à la seule chose qui fasse peur aux Indiens : la guerre. L'Inde est ainsi le deuxième pays après la Birmanie à reconnaître diplomatiquement la Chine populaire. Elle soutient activement la candidature de Pékin à l'ONU en défendant, contre Taïwan, la thèse de l'unicité de la Chine. Elle refuse de voter une résolution de l'ONU d'inspiration occidentale condamnant l'« agression » chinoise en Corée après que les troupes américaines aient franchi le 38e parallèle séparant la Corée du Nord de la Corée du Sud. Elle dissuade l'ONU de débattre de l'occupation du plateau tibétain par l'armée chinoise. Et Nehru permet au ministre des Affaires étrangères chinois, Zhou Enlai, de jouer un rôle de premier plan à la conférence de Bandung en 1955. Bref ! L'Inde fait tout ce qu'elle peut pour intégrer la Chine communiste dans le concert des nations. C'est ce qu'on peut appeler la stratégie de la toile d'araignée. Tout se passe comme s'il s'agissait d'enserrer la Chine dans le complexe et délicat réseau des relations internationales pour la contraindre à se plier à ses normes et, les respectant, à ne point chercher à résoudre la question frontalière par la force. Une stratégie longue et tenace. La stratégie du faible au fort.

Par là-même, l'Inde mobilise tout ce qui « fait sens » dans sa politique : le recours aux règles du système international, à la paix, à la coexistence pacifique, à la modération, à la négociation, à la morale internationale, etc. Et c'est précisément en faisant ainsi qu'elle compte pallier son déficit de puissance. D'où le fait que tout ce qui concerne l'objet même du différend sino-indien – une querelle de puissance – doit, pour les Indiens, nécessairement rester du domaine de l'implicite. C'est le *sens* qui doit apparaître en pleine lumière, jamais la *puissance*. On en a un exemple saisissant dans la façon dont apparaissent pour la première fois les cinq principes mondialement célèbres de la coexistence pacifique. Pas du tout à Bandung, comme on le croit généralement. Mais au détour d'un accord d'aspect secondaire signé par Pékin et New Delhi sur le Tibet en 1954. L'Inde y reconnaît pour la première fois la pleine souveraineté de la Chine sur le Tibet. En contrepartie, elle demande qu'y soient inscrits dans le préambule les fameux cinq principes dont les deux premiers concernent le « respect mutuel de l'intégrité territoriale » et la « non-agression ». Et ce sont ces principes qu'elle va faire entériner avec éclat et solennité par la conférence de Bandung. En espérant que la Chine, prise dans la nasse de ces principes, n'ose point les fouler aux pieds à la face du monde...

L'échec d'une politique

La Chine refuse cependant d'entrer dans les calculs indiens. Derrière la question des frontières, se profile pour elle une question de prestige. En particulier, on n'apprécie pas, à Pékin, l'évolution de la politique soviétique, dite de « déstalinisation » après le XXe Congrès du Parti communiste de l'URSS. Cette politique, aux yeux des Chinois, fait la part trop belle à l'Inde.

D'une part, la doctrine de la « coexistence pacifique » mise en œuvre par Khrouchtchev conduit l'URSS à développer des rapports privilégiés avec l'Inde, ce qui ne peut que renforcer cette dernière. Or la Chine de Mao, qui se veut être un modèle de pureté révolutionnaire, considère que cette doctrine, qu'elle qualifie de « révisionniste », constitue un abandon de la « lutte des classes à l'échelle internationale ». Dans ces conditions, elle ne souhaite donc pas donner l'impression qu'elle pourrait, en renonçant à employer la force contre l'Inde pour régler son contentieux frontalier avec cette dernière, conforter le rapprochement indo-soviétique. D'autre part, l'URSS est hostile à la politique de prolifération nucléaire. Moscou estime que c'est à elle de prendre en charge les intérêts du camp socialiste, dans le cadre de la guerre froide dont l'une des conséquences est, précisément, le partage du monde en deux blocs que l'équilibre de la terreur revient à rendre équivalents sur le plan de la puissance. La capitale soviétique, qui refuse de contribuer au programme nucléaire chinois, considère donc la politique indienne de non-alignement et de refus du nucléaire à des fins militaires comme un modèle du genre, confortant son approche. Or la Chine, qui fait exploser sa première bombe atomique en 1964, refuse d'être une puissance de second rang derrière l'URSS. La lutte contre les « deux hégémonismes », soviétique et américain, va bientôt devenir l'un de ses leitmotive. Pour cette raison aussi, elle ne supporte pas le langage pacifiste de l'Inde, qui lui apparaît hypocrite. L'idée de donner « une leçon » à l'armée indienne en état d'infériorité notoire lui paraît donc un bon moyen, à la fois de rabaisser le prestige de l'Inde et de rappeler à l'URSS qu'elle n'est pas la « sœur aînée » de la Chine. En d'autres termes, la question frontalière sino-indienne acquiert subitement une nouvelle dimension dans le cadre du schisme sino-soviétique du tournant des années 1950-1960.

Et la leçon est donnée, à la fin de l'année 1962, en deux offensives éclair. Du côté indien, c'est la débâcle et l'affolement. Nehru s'adresse en catastrophe au président américain Kennedy pour le supplier de l'aider militairement. Ce sont les heures les plus noires de sa vie : elles consacrent l'échec d'un pan essentiel de sa politique étrangère. L'opposition ne manque pas de le lui rappeler, et il est obligé de se défaire de son meilleur ami, l'un des porte-parole de l'aile gauche du Parti du Congrès, détesté aux Etats-Unis, le ministre de la Défense Krishna Menon. Les cheveux du Premier ministre blanchissent et ses traits se creusent en quelques jours ; il mourra moins de deux ans plus tard. Plusieurs événements le confirment dans sa politique de non-alignement. Tout d'abord, la Chine stoppe son offensive une fois conquis les territoires revendiqués. Elle se paye même le luxe de se retirer des zones dont elle dit qu'elles ne lui appartiennent pas, comme preuve de sa bonne volonté. Evidemment, l'humiliation est à son comble du côté indien, mais enfin cela signifie que la Chine a des objectifs militaires restreints. New Delhi peut donc pousser un « ouf ! » de soulagement. D'autant plus grand que l'aide américaine promise par Kennedy arrive lentement et au compte-gouttes : New Delhi ne reçoit en définitive qu'une assistance militaire d'une valeur de 82 millions de dollars, soit moins de 20 % des besoins recensés. Et puis, Washington accompagne son aide de très dures pressions sur la question du Cachemire : le plan Rusk-Sandys, des noms du secrétaire d'Etat américain et du ministre britannique du Commonwealth de l'époque, propose aux Indiens de céder plus de la moitié de la vallée du Cachemire au Pakistan. Enfin, cela est décisif à long terme, Krouchtchev refuse de soutenir les Chinois. Pour lui, les deux Etats devraient résoudre leur question frontalière par la négociation, pas par la guerre. Cette position ulcère les Chinois, mais elle rassure l'Inde. Celle-ci, échaudée par l'expérience qu'elle vient de subir, se décide à corriger son déficit de puissance.

CHAPITRE 11

La quête de la puissance

Tout, bien sûr, ne change pas en un jour. Au sein du Mouvement des pays non-alignés, l'Inde continue à jouer sa partition, même si sa défaite contre la Chine y a entamé son prestige. Dans les années 1960 et 1970, elle exerce un rôle important dans l'élaboration des thèmes forts de l'époque, liés à la recherche d'un « nouvel ordre économique mondial » et à la coopération entre les pays du Tiers-Monde, dite coopération Sud-Sud. Elle participe ainsi à la constitution (1964) de la Conférence des Nations unies sur le commerce et le développement (CNUCED). Celle-ci fonctionnera comme une tribune privilégiée du Tiers-Monde. Son objectif est d'élaborer un droit international du développement en instaurant de nouvelles règles concernant les échanges économiques, le commerce international, le système monétaire et financier mondial. L'Inde contribue aussi à la formation d'un groupe de pression connu sous le nom de « Groupe des 77 » pour faire avancer les intérêts du Tiers-Monde au sein de la CNUCED. Aujourd'hui encore, elle n'hésite pas à mobiliser les anciennes images qui lui sont attachées pour, à l'occasion, faire entendre la voix du Sud dans le cadre d'une confrontation Nord-Sud dont les accents sont encore perceptibles, par exemple dans les négociations du GATT (*General Agreement on Trade and Tariffs*) devenu l'Organisation mondiale du commerce (OMC).

Il n'empêche qu'une nouvelle façon de faire s'impose peu à peu. Sans renoncer à tout ce qui donnait sens à sa politique passée, l'Inde décide systématiquement de renforcer sa puissance. En 1998, quand l'Inde procède coup sur coup à cinq tests nucléaires dans le désert du Rajasthan, le monde découvre ce qu'il pressentait déjà depuis quelque temps : l'arrivée sur la scène mondiale d'un pays privilégiant la puissance sur le sens.

La montée en puissance

Avant le développement de son différend avec la Chine, l'Inde consacrait seulement une petite partie de son budget aux dépenses militaires. Au lendemain de sa défaite, elle engage un vaste programme de modernisation de ses forces armées et quadruple son budget de défense. Ses fournisseurs étaient jusque-là exclusivement les pays occidentaux, la Grande-Bretagne et les Etats-Unis principalement. Cela va changer. En 1960, une première délégation indienne s'était rendue à Moscou pour négocier l'achat d'avions de transport et d'hélicoptères. Les choses s'accélèrent après 1962. La coopération militaire avec l'URSS commence. Elle n'était alors qu'économique et commerciale. Aujourd'hui encore, quelque 70 % des besoins de défense de l'Inde sont couverts par les Etats de l'ex-URSS, Russie en tête.

Comme dans le domaine civil, les Soviétiques s'engagent à fond. Ils n'imposent pas de conditions politiques à leur assistance. Ils livrent des systèmes d'armements très sophistiqués incluant des sous-marins de dernière génération. Ils partagent leur savoir-faire technologique : par exemple, leur livraison d'avions de combat s'accompagne d'une aide pour l'installation d'usines de fabrication et de montage des composants de l'appareil. Le coût des équipements soviétiques est relativement faible. Surtout, des conditions inespérées de paiement sont offertes. Comme en matière de coopération économique, les Indiens effectuent leurs achats en roupies sur crédits de longue durée avec très faible taux d'intérêt. Dans ces conditions, malgré ses réserves initiales, l'*establishment* militaire indien accepte que l'URSS devienne au fil des années le premier fournisseur de l'Inde en matière d'armements.

Les premiers fruits du nouvel effort indien sont récoltés en 1965. Cette année-là, le Pakistan décide d'une attaque à grande échelle contre l'Inde, sur la question du Cachemire. L'une des plus grandes offensives de chars de l'histoire est lancée à la frontière nord-ouest pour tenter d'isoler le Cachemire du reste de l'Inde. Aujourd'hui encore, les mobiles pakistanais sont peu clairs. Le Pakistan croit-il que ses alliés occidentaux du CENTO et de l'OTASE vont le suivre dans son entreprise ?

Pense-t-il que la Chine, avec laquelle il a signé en 1963 un accord frontalier, va faire plus que le soutenir verbalement ? S'agit-il d'une action préventive destinée à devancer le renforcement militaire indien ? L'action de la dictature militaire pakistanaise de l'époque répond-elle à des motivations de politique interne ? Toujours est-il que c'est pour elle un fiasco. L'aviation indienne pilonne les chars pakistanais et repousse l'attaquant au Cachemire. Trois ans après la défaite face à la Chine, cette victoire met un peu de baume sur les cœurs à vif des Indiens. Elle consacre aussi l'influence croissante des Soviétiques dans la région et l'effacement des Occidentaux. Ni les Américains, ni les Chinois n'ont esquissé un geste significatif en faveur de leur ami pakistanais. L'armement soviétique livré à l'Inde, en revanche, a subi son premier baptême du feu. Les belligérants tirent la conséquence logique du nouveau rapport de force régional : Pakistanais et Indiens « montent » à Tachkent, en Ouzbékistan, pour signer un accord de paix. Le Pakistan ne se sort d'ailleurs pas trop mal de son équipée : malgré leur victoire sur le terrain, les Indiens ne parviennent pas à modifier la ligne de cessez-le-feu au Cachemire en leur faveur. Les Soviétiques, en bons modérateurs et arbitres du conflit, refusent d'accéder à leur désir. De là naîtra la rumeur selon laquelle le Premier ministre indien L. B. Shastri, qui meurt d'une crise cardiaque à Tachkent à l'issue des négociations, serait décédé mortifié par le comportement de ses hôtes.

La question du Cachemire

Le 15 août 1947, quand l'Inde et le Pakistan deviennent indépendants, le *maharaja* hindou qui dirige le royaume du Cachemire, à forte majorité musulmane, hésite à regagner le giron de la République indienne. Il aurait aimé jouer la carte de l'indépendance. Mais, rejeté par son peuple, il est mal placé pour tenter cette option. L'intervention de l'armée pakistanaise, officiellement destinée à soutenir une rébellion des habitants contre son régime, le pousse à opter en faveur de l'Inde en octobre 1947, comme la loi organisant le transfert des pouvoirs entre l'ancienne administration britannique et les nouvelles autorités pakistanaises et indiennes lui en donne le droit. L'Inde envoie alors ses troupes au Cachemire. La première guerre indo-pakistanaise se conclut en 1949 par un accord de cessez-le-feu, sous l'égide de l'ONU vers laquelle Nehru se tourne pour essayer, en vain, de lui faire condamner l'intervention pakistanaise. Le Cachemire est alors divisé en deux, une partie contrôlée par le Pakistan (appelée par les Pakistanais *Azad Kashmir* ou Cachemire libre) et une partie contrôlée par l'Inde. La deuxième guerre indo-pakistanaise de 1965 ne modifie pratiquement pas les positions.

Aujourd'hui, le Pakistan continue à revendiquer le Cachemire dans sa totalité et à réclamer l'organisation d'un plébiscite sous l'égide de l'ONU, comme l'Inde de Nehru s'y était d'ailleurs un moment engagée. L'Inde, de son côté, soutient que le Cachemire a rejoint légalement l'Inde, et que, Etat laïc, elle ne saurait accepter qu'une partie de son territoire puisse faire l'objet de revendications pakistanaises en raison de la confession musulmane de ses habitants. Le Cachemire est désormais devenu un Etat à part entière de l'Inde. Il élit son Assemblée législative comme tous les autres Etats de l'Inde. Certaines dispositions constitutionnelles spécifiques font même de lui un Etat de l'Union plus autonome que les autres. Dans ces conditions, l'idée d'un plébiscite est donc devenue caduque aux yeux de New Delhi. Depuis l'accord indo-pakistanais de Simla de 1972, signé au lendemain de la guerre du Bangladesh, qui engage les deux pays à trouver une solution à leur conflit dans un cadre bilatéral, l'Inde s'oppose à toute internationalisation du contentieux.

Reste à savoir ce que souhaiteraient exactement les Cachemiris eux–mêmes : le maintien en Inde, l'indépendance, le rattachement au Pakistan. Pour la plupart, sans doute tout d'abord le rétablissement de la paix, du moins dans la partie indienne du Cachemire traversée par de très vifs et sanglants affrontements entre les différents groupes terroristes, indépendantistes ou pro-pakistanais, et l'armée indienne. En l'absence de consultation électorale aussi bien du côté indien que du côté pakistanais, nul ne le sait.

En revanche, en 1971, la guerre de libération du Bangladesh permet aux Indiens de remporter contre le Pakistan une victoire décisive. Depuis de nombreuses années, un mouvement bengali (la Ligue Awami) favorable à l'autonomie du Pakistan oriental s'était développé dans cette partie du Pakistan. En 1970, la Ligue Awami dirigée par Mujibur Rahman remporte les premières élections législatives jamais organisées au Pakistan. Mujibur Rahman aurait logiquement dû devenir le Premier ministre du

Pakistan. Cette perspective est violemment rejetée par les dirigeants pakistanais de l'époque, par les militaires comme par les politiques conduits par Ali Bhutto. L'*establishment* pakistanais est essentiellement composé de Pakistanais de l'Ouest qui détestent les Bengalis du Pakistan oriental. Refusant de se plier au verdict des urnes, Bhutto et les généraux décident d'intervenir militairement au Pakistan oriental. La répression est épouvantable. Des millions de réfugiés affluent en Inde et s'entassent à Calcutta ou dans des camps. L'horreur fait basculer les habitants du Pakistan oriental dans la lutte d'indépendance : on y réclame désormais la création d'un nouvel Etat indépendant, le Bangladesh. Une armée de libération se met sur pied, avec l'aide de l'Inde. A New Delhi, Indira Gandhi hésite sur la politique à suivre. Faut-il contribuer à créer le Bangladesh, ce qui signifie *ipso facto* le démembrement du Pakistan ? Et comment ? Elle effectue une tournée en Europe pour expliquer son point de vue. Mais les Etats-Unis, qui soutiennent le régime pakistanais, sont totalement opposés à cette idée. La Chine aussi qui, depuis sa guerre avec l'Inde, voit dans le Pakistan son meilleur allié en Asie du Sud. La seule puissance à soutenir à la fois l'Inde et le Bangladesh, c'est l'URSS. C'est donc vers elle que l'Inde se tourne. Les deux pays signent en août 1971 un traité d'amitié qui change la donne régionale. Ce n'est pas un traité de défense à proprement parler, lequel aurait contredit la politique de non-alignement de l'Inde. Le traité se borne à stipuler que « en cas de menace, l'une ou l'autre partie contractantes se rencontreront pour discuter des mesures à prendre ». C'est donc un traité dissuasif. Mais c'est suffisant pour « couvrir » l'Inde contre une offensive chinoise au cas où la guerre du Bangladesh déraperait vers une guerre indo-pakistanaise. Précisément, c'est ce qui se passe quand l'Inde décide finalement d'intervenir militairement au Pakistan oriental pour y aider la Ligue Awami à déclarer l'indépendance du Bangladesh. L'armée indienne est accueillie en libératrice. La Chine ne bouge pas. Quant aux Etats-Unis, ils dépêchent dans la baie du Bengale leur porte-avions *Entreprise* à la tête d'une *task-force* détachée de la 7e flotte américaine basée dans l'océan Pacifique, sous prétexte d'aider à l'évacuation de leurs ressortissants. Mais cette décision, au lieu d'intimider l'Inde, précipite son action militaire. En cinq jours les troupes pakistanaises sont battues, et l'indépendance du

Bangladesh est proclamée. L'ennemi héréditaire de l'Inde, le Pakistan, est irrémédiablement coupé en deux. L'axe indo-soviétique a joué à plein. Mais il croise désormais l'axe Washington-Pékin-Islamabad, scellé dès 1971 par le voyage secret du secrétaire d'Etat américain (H. Kissinger) à Pékin préparé à partir de la capitale pakistanaise. L'Inde, devenue la puissance régionale de la zone, est en même temps l'un des nœuds de la compétition Est-Ouest altérée par le facteur chinois. Reste à savoir ce qu'elle va faire de sa position hégémonique.

La « *pax indiana* »

Au cours des années 1970, les relations entre l'Inde et ses « petits » voisins se raidissent. Indira Gandhi dirige son pays d'une main de fer. La presse indienne se plaît parfois à souligner qu'elle est une réincarnation de Shakti, la déesse de la puissance. Avec le Bangladesh, tout se passe bien tant que Mujibur Rahman, l'ami laïc de l'Inde, reste au pouvoir. Les choses changent après son assassinat en 1975 et l'installation d'une succession de juntes militaires prônant l'islamisation du pays. L'Inde ne cède alors sur aucun des contentieux bilatéraux qui l'opposent au Bangladesh. Or, ceux-ci ne manquent pas. Il y a la question du partage des eaux et du barrage de Farraka sur un affluent du Gange. Il y a celle de la révolte armée de la tribu chrétienne Chakma, chassée de ses terres par la suppression du statut foncier qui lui était réservé dans les « *Chittagong Hill Tracts* », et qui opère à partir du « sanctuaire » indien. Il y a le curieux problème de l'apparition et de la disparition des îles ne cessant de se former dans la baie du Bengale ; elles migrent au gré des inondations, ce qui n'aide pas à résoudre la question de la délimitation des frontières maritimes bilatérales. Il y a enfin la question du flux de travailleurs immigrés bengladais qui tentent chaque année de trouver clandestinement du travail en Inde. Tous ces dossiers non résolus tendent les rapports entre Delhi et Dhaka. Même chose avec le Népal. « Combien même nous reconnaissons l'indépendance du Népal, avait déclaré Nehru en 1950, nous ne pouvons risquer notre propre sécurité en restant indifférents aux événements qui s'y déroulent ». Indira Gandhi applique à la lettre ce précepte. Mais le royaume hindou du Népal des années 1970 et 1980 n'est plus celui des années 1950.

Il souhaite se désenclaver en ayant accès à des ports maritimes. C'est là la source essentielle de son différend avec l'Inde (il s'y ajoutera avec le temps la question du partage des eaux et des barrages sur les fleuves himalayens). Car l'Inde estime qu'elle a un droit de regard sur ce transit, sorte de levier de manœuvre pour le maintien de son influence sur la politique de Katmandou. Et son gouvernement se montre très ferme sur cette question. Quant aux petits Etats himalayens, leur sort est tout tracé. Le royaume bouddhiste du Bhoutan, devenu indépendant en 1971, est « couvé » par New Delhi. Le royaume du Sikkim devient un Etat de l'Union indienne en 1975.

Dans le même temps, l'Inde renforce son potentiel militaire dans l'océan Indien, avec la coopération soviétique. Jusqu'alors la mal-aimée des trois armes indiennes, la marine se met à absorber une part croissante du budget de la Défense. L'*Indian navy*, avec ses 47 000 hommes et sa centaine de bâtiments, devient la sixième force navale du monde et la première parmi celles des pays du littoral de l'océan Indien. Or c'est l'époque où celui-ci acquiert une nouvelle importance ; économique en raison du transit pétrolier international qui s'y effectue ; stratégique en raison de la compétition Est-Ouest qui s'y aiguise ; politique, enfin, en raison du nombre de pays limitrophes qui revendiquent haut et fort un « nouvel ordre économique international » en pointant du doigt les pays occidentaux. Dans ce contexte, la notion d'« océan Indien, zone de paix », officiellement adoptée par le Sommet des pays non-alignés de 1970 puis reprise par l'Assemblée générale de l'ONU en 1973, semble à beaucoup aussi bien destinée à protéger la zone contre les conséquences de la rivalité Est-Ouest qu'à servir les intérêts d'une sorte de « *pax indiana* » régionale.

Un gendarme régional

Dans les années 1980, l'intervention directe de New Delhi dans les affaires intérieures de Sri Lanka et des îles Maldives vont même donner à l'Inde l'image d'un « gendarme régional ».

A Sri Lanka, située à quelques encablures des côtes indiennes, l'Inde était déjà intervenue une première fois en 1971 pour aider la dirigeante de l'île de l'époque, Mme Bandaranaike, à mater une importante insurrection populaire provoquée par le chômage et la misère. Mais il ne s'était agi que d'une aide de type « classique », diplomatique, politique et matérielle. Il en va tout autrement en 1987 avec Rajiv Gandhi. A cette date, une situation chaotique et dramatique se développe dans l'île. Schématiquement, la majorité cinghalaise (bouddhiste) est aux prises avec la minorité tamoule (hindoue) qui réclame une plus grande autonomie des régions où elle vit. Les vexations de la politique officielle mise en œuvre par le Gouvernement sri lankais provoque la montée d'un fort courant indépendantiste parmi la minorité tamoule, violent, insurrectionnel, exigeant la « partition » de l'île en deux Etats souverains, l'un cinghalais et l'autre tamoul. Le heurt entre les deux communautés a un impact direct sur l'Inde, notamment dans l'Etat du Tamil Nadu. Les Tamouls de Sri Lanka cherchent l'aide de leurs « cousins » indiens. Le Gouvernement régional du Tamil Nadu la leur accorde, parfois contre, parfois avec l'accord du Gouvernement central de New Delhi. New Delhi commence alors à s'inquiéter très sérieusement de la question. Les armes ne cessent d'affluer dans l'île. Les autorités de Colombo sont incapables de faire face à la guérilla tamoule et risquent de se tourner vers des puissances étrangères à la région. On signale déjà la présence sur l'île de personnels appartenant à divers services de renseignements étrangers (américains et israéliens). Et, au Tamil Nadu, la population s'émeut et s'agite.

En 1987, dans ce contexte complexe, Rajiv Gandhi se décide à intervenir dans l'île. Le Gouvernement de Colombo campant sur ses positions, l'armée de l'air indienne commence par violer l'espace aérien de Sri Lanka en parachutant des vivres aux Tamouls assiégés dans le Nord de l'île. Puis le Premier ministre indien obtient du président sri lankais la signature d'un « accord de paix ». En échange de facilités stratégiques dans le port de Trincomalee (le Gouvernement sri lankais concède notamment à l'Inde la restauration et l'exploitation du dépôt pétrolier du port, jusque-là cédées à des entreprises singapouriennes liées à la CIA) et de concessions aux revendications territoriales tamoules, l'Inde se porte garante de l'intégrité territoriale de Sri Lanka et du maintien de l'ordre dans les régions à majorité tamoule. L'accord concrétise les deux objectifs majeurs poursuivis par l'Inde dans l'affaire : d'une part, il faut contraindre Colombo à faire des concessions aux Tamouls, pour éviter qu'une situation très instable ne perdure en face des côtes indiennes ; d'autre part, il faut mettre un terme aux actions militaires des indépendantistes tamouls. New Delhi ne peut, en effet, se permettre de contribuer à la division de Sri Lanka sur une base ethnico-religieuse : à terme, l'effet boomerang serait terrible pour l'Inde. C'est ce dernier point que les indépendantistes tamouls n'accepteront pas ; ils assassineront Rajiv Gandhi en 1989 pour le punir de les avoir « trahis ». En vertu de l'accord conclu avec Colombo, l'Inde envoie à Sri Lanka une force de quelque 70 000 hommes, certains avançant le chiffre de 100 000 hommes. Elle est baptisée « force indienne du maintien de la paix ». Les Indiens ont de grandes difficultés à conquérir les zones tamoules défendues par les indépendantistes puissamment armés. Leurs pertes en hommes sont lourdes. Si l'Inde se retire avec soulagement et lassitude en 1990 après avoir « nettoyé » l'essentiel du terrain, elle n'en a pas moins contribué à rétablir l'ordre dans l'île que les autorités peuvent se remettre à gouverner cahin-caha, hormis quelques petites « poches » toujours dominées par les extrémistes tamouls. Le gendarme indien, péniblement, durement, a fait son travail.

L'« opération cactus »

En 1988, le président des îles Maldives est menacé par un coup d'Etat. New Delhi décide de voler à son secours et monte « l'opération cactus ». L'intervention indienne est d'autant plus rapide que le président des Maldives avait fait également appel aux Américains et aux Anglais. Comme dans le cas de Sri Lanka, elle a l'aval implicite des grandes puissances. Mais elle bénéficie aussi de celui des pays de la région, Rajiv Gandhi prenant soin de faire entériner son intervention par l'Association des pays d'Asie du Sud pour la coopération régionale. Le monde reconnaît en quelque sorte que les Maldives se situent dans le périmètre indien de sécurité.

La difficile coopération régionale

La puissance régionale de l'Inde, pour incontestable qu'elle soit, ne doit cependant pas être surestimée. Certains observateurs évoquent parfois à propos de l'Inde la fameuse « doctrine Monroe ». Comme on sait, cette « doctrine » datant de 1823 et baptisée du nom du président américain de l'époque, consiste à considérer l'Amérique latine comme le « champ réservé » de l'influence américaine. A supposer que tel soit le désir de l'Inde en ce qui concerne l'océan Indien, la capitale indienne n'aurait de toute façon pas les moyens d'une telle politique. Sa puissance militaire, notamment navale, est nettement plus faible que celle des grandes puissances. D'une part, elle ne peut permettre un contrôle exclusif de l'Inde sur la zone. D'autre part, comme le disent les stratèges, la marine indienne n'a pas un « potentiel de projection de puissance » : elle ne peut songer à intervenir en dehors du périmètre sous-continental. Par exemple, l'Inde n'a pas la capacité opérationnelle de venir soutenir militairement sa diaspora aux quatre coins du monde ou d'aider ailleurs que dans son périmètre immédiat un gouvernement ami. Au demeurant, à partir des années 1990, la chute de l'URSS et l'adoption d'une politique de libéralisation économique conduisent l'Inde à réduire son intérêt pour le militaire par rapport à l'économique. New Delhi table donc sur la puissance économique, sans rogner sur sa dimension militaire.

La SAARC

La *South Asian Association for Regional Cooperation,* la SAARC, ou Association des pays du Sud pour la coopération régionale, comprend 7 pays : le Bangladesh, le Bhoutan, l'Inde, les Maldives, le Népal, le Pakistan et Sri Lanka. Elle a été créée en 1985 sur l'initiative du Bangladesh. Sa charte prévoit la tenue d'un Sommet des chefs d'Etat ou de gouvernements des pays membres au moins une fois par an, ainsi que des réunions plus fréquentes des ministres des Affaires étrangères. L'Association est également dotée d'un *Standing Committee* composé des secrétaires généraux des différents ministères des Affaires étrangères, et de plusieurs comités techniques. Elle dispose d'un

secrétariat permanent ayant son siège à Katmandou. Le financement de ses activités repose sur les contributions volontaires de ses membres.
Son champ d'action couvre les domaines de coopération suivants : l'agriculture, les communications, l'éducation et la culture, l'environnement, la santé et la population, la météorologie, la lutte contre le trafic de drogue, le développement rural, la science et la technologie, le tourisme, et les femmes dans le développement.

Dans son périmètre immédiat, l'Inde fait partie de l'Association des pays du Sud pour la coopération régionale, la *South Asian Association for Regional Cooperation* (SAARC). Mais, force est de constater que cette association est peu effective et peu efficace. Elle peut avoir un intérêt pour certains « petits » pays qui, tels le Bhoutan et le Népal, absorbent le gros de la coopération indienne. Le Bangladesh peut également bénéficier de l'avance technologique de l'Inde, par exemple dans le domaine météorologique pour mieux programmer l'arrivée d'un cyclone. Mais l'Inde ? Quel intérêt autre que marginal peut-elle retirer de la SAARC sur le plan économique ? Elle en domine à elle seule tous les paramètres. Elle représente 72 % de la superficie globale de la zone, 77 % de sa population et 78 % de son PNB global. De surcroît, le commerce intra-régional est peu développé. Les échanges entre les pays membres représentent seulement 5 % environ de leur commerce global respectif. Leur part constitue seulement entre 1 % et 2 % du commerce extérieur indien. Même phénomène en ce qui concerne les investissements : l'Inde réalise à peine 1 % de ses investissements directs dans la zone. De sorte que la SAARC, loin d'être un instrument de l'hégémonie économique indienne dans la région, serait plutôt une gêne. Les « petits » pays ont en effet tendance à profiter de l'existence de la SAARC pour s'y regrouper afin de faire front contre leur grand voisin. Ce qui conduit l'Inde à veiller en permanence à ce que l'association ne serve pas de caisse de résonance aux contentieux spécifiques qu'elle entretient avec ses voisins. D'où les deux principes de base qui gouvernent son activité mais qui en limitent la portée : la règle de l'unanimité et le principe selon lequel les questions bilatérales ne peuvent être débattues au sein de l'association. La politique d'« ouverture économique » aujourd'hui préconisée conduira-t-elle à faire évoluer la situation ? C'est ce que souhaitent les chefs d'Etats concernés qui signent en 1993 un *South Asian Preferential Trade Arrangement* (SAPTA), déclaré opérationnel en 1995. « Il faut essayer d'organiser un marché libre au sein de la région et d'intégrer nos économies pour développer nos capacités, notre dynamisme, notre force collective dans la communauté internationale du commerce », déclare à cette occasion le Premier ministre indien. Mais, comme chaque pays de la zone se lance dans une politique de libéralisation avec le reste du monde, on peut réellement se demander si le SAPTA ne sera pas vite dépassé par la libéralisation de l'économie mondiale qui signifie une libéralisation à l'égard de tous.

Organisations régionales dans l'océan Indien

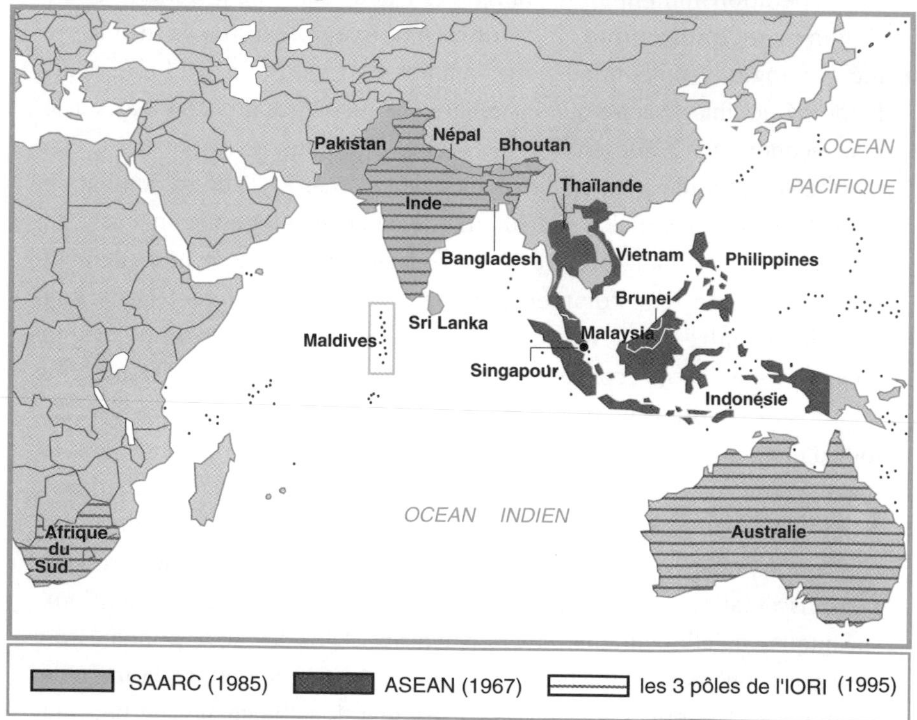

C'est, en vérité, la même incertitude qui pèse sur l'avenir de l'Association du pourtour de l'océan Indien (l'*Indian Ocean Rim Association*) née en 1993 d'un discours du ministre des Affaires étrangères de l'Afrique du Sud (Pik Botha) en visite en Inde et connue sous le nom d'*Indian Ocean Rim Initiative* (IORI). Dès le départ, l'IORI est parrainée par les trois pays les plus industrialisés de la zone : l'Afrique du Sud, l'Inde et l'Australie. Pratiquement tous les pays riverains de l'océan Indien y participent aujourd'hui, soit quelque vingt-trois Etats. L'idée très générale est que les pays de cette immense zone géographique, névralgique pour le commerce maritime mondial, ont intérêt à se regrouper pour faire connaître leurs revendications, peser sur le devenir économique du monde et développer la coopération intra-régionale. Pour l'Inde, il s'agit évidemment d'une zone importante : les pays de l'océan Indien représentent environ le quart de ses importations et de ses exportations. Mais c'est nettement moins évident pour l'Afrique du Sud et l'Australie, qui comptent d'ailleurs pour une très faible part dans les échanges de l'Inde. Il est donc encore beaucoup trop tôt pour imaginer de grandes avancées dans le domaine des relations intra-océanes.

Aussi, dans la toute dernière période, l'Inde s'est-elle tournée vers l'ASEAN (l'*Association of the South East Asian Nations*) pour tenter de se trouver une ère économique et commerciale plus propice à son développement, l'ASEAN représentant pour les économistes libéraux un modèle à succès. Ses efforts ont été accueillis fraîchement dans un premier temps : en 1979, l'Inde avait été l'un des très rares gouvernements n'appartenant pas au bloc socialiste à reconnaître le nouveau Gouvernement cambodgien installé après la chute de Pol Pot grâce à l'intervention vietnamienne. Depuis, les choses ont évolué et le Vietnam lui-même est devenu membre de l'ASEAN. L'Inde y a été acceptée comme un « partenaire de dialogue à part entière » en 1996. Deux facteurs majeurs poussent l'Inde à faire route vers l'Asie du Sud-Est. Tout d'abord, l'ASEAN représente une coalition dont le pouvoir de négociation avec d'autres régions, notamment l'Union européenne, est important. Or l'Inde réalise près de la moitié de ses exportations vers les marchés des pays développés. Se coaliser avec l'ASEAN revient donc pour elle à trouver des débouchés sur des marchés non-asiatiques. D'autre part, l'ASEAN représente elle-même une zone avec laquelle l'Inde multiplie les échanges. Les exportations indiennes vers les pays de l'ASEAN et les nouvelles économies industrialisées (Corée du Sud, Hong Kong, Singapour, Taïwan) sont en croissance très rapide depuis les années 1980. L'ASEAN absorbe en 1996 plus de 8 % des exportations indiennes (principalement Singapour et l'Indonésie) et participe à raison de plus de 7 % dans ses importations. Les investissements indiens en Asie du Sud-Est se développent également, même si les sommes globales engagées sont encore très faibles.

Le problème, c'est que l'Asie du Sud-Est est secouée par une énorme crise économique en 1998. Elle a épargné l'économie indienne encore très autocentrée, mais elle pourrait fragiliser les espoirs que l'Inde place en Asie. Or vers quel autre pays d'Asie l'Inde peut-elle se tourner ? Vers la Chine ? Certes, les rapports sino-indiens se sont lentement améliorés à partir du début des années 1980. La tension sur la question frontalière a baissé. Les deux pays ont conclu en 1993 un accord sur « le maintien de la paix et de la tranquillité sur le long de la ligne de contrôle effective », des « mesures de confiance » ont été adoptées, les échanges politiques et militaires se développent, le commerce bilatéral reprend. Mais, du point de vue économique et commercial, tout cela ne peut pas aller très loin. Les deux économies, loin d'être complémentaires, rivalisent pour se ménager une place au soleil dans le monde actuel de la « globalisation ». Vers le Japon ? Là, c'est plus crédible. Mais le Japon, lui aussi empêtré dans ses difficultés économiques et politiques, ne semble pas être en mesure de participer au renforcement du potentiel économique indien. Les échanges indo-japonais se situent à un niveau d'importance sensiblement comparable à ceux de l'Inde et l'ASEAN. Mais ils stagnent depuis 1993 et les investissements japonais en Inde marquent le pas. Et le Japon a été l'un des pays les plus prompts à interrompre certaines de ses aides à l'Inde après les essais nucléaires indiens de mai 1998. Vers l'APEC (*Asia Pacific Economic Cooperation*), le grand forum de coopération économique en Asie-Pacifique créé en 1989 ? Fort aujourd'hui de 21 participants, ce forum représente plus de 58 % du PIB mondial et 47 % du commerce mondial. Il préconise de créer une zone de libre-échange en l'an 2010 pour les pays développés et en l'an 2020 pour les pays en développement. Il a admis en 1998 trois nouveaux membres : la Russie, le Vietnam et le Pérou. Et l'Inde aimerait beaucoup y entrer. Elle ne cesse d'ailleurs de le demander, mais la Chine et les Etats-Unis refusent toujours de lui en ouvrir les portes.

En somme, la SAARC et l'IORI ne sont pas efficaces ou utiles à court terme, l'ASEAN est affaiblie, l'APEC ne veut pas de New Delhi.... La cadre d'une coopération régionale est, décidément, difficile à trouver ! Voilà donc l'Inde une nouvelle fois laissée seule face à elle-même et face à ses partenaires bilatéraux, au premier chef les Etats-Unis et l'Union européenne, deux entités dont les échanges avec l'Inde dépassent les flux existant entre l'Inde et l'Asie prise dans son entier. Dans ces conditions, l'Inde en quête de puissance a-t-elle un autre choix que celui d'affirmer le plus crûment son existence en recourant à l'argument nucléaire qui, d'un coup, la propulse au sommet et lui permet de négocier, par le haut, la place à laquelle elle aspire dans le monde, ne serait-ce qu'en exigeant âprement un siège de membre permanent au sein du Conseil de sécurité de l'ONU ?

La puissance nucléaire

L'Inde, depuis son indépendance, a toujours considéré que le nucléaire était une source d'énergie utile, nécessaire et légitime à des fins civiles. Elle n'a jamais exclu par principe son usage militaire. Dès 1948, le Premier ministre Nehru affirme devant le Parlement : « Si nous voulons rester parmi le peloton de tête des nations dans la course pour le progrès scientifique, nous devons développer l'énergie atomique dans une autre optique que la guerre. Certes, si notre nation est contrainte à l'utiliser pour d'autres buts, personne ici ne pourra nous en empêcher pour des raisons morales. Mais j'espère que notre attitude à l'égard de l'énergie atomique favorisera son développement pacifique pour le bien-être de l'homme et non pour propager la guerre et la haine entre les hommes ». On peut dire que l'Inde n'a fondamentalement jamais varié sur ce point de vue.

Tout d'abord, New Delhi a toujours affirmé son droit inaliénable à poursuivre en toute indépendance un programme d'énergie atomique jugé indispensable au développement économique. Elle a toujours veillé à ne point permettre aux grandes puissances de fixer *leurs* règles et *leurs* normes en matière de droit international dans le domaine nucléaire. A l'ONU, le représentant indien s'élève ainsi systématiquement contre toute résolution visant à préconiser la propriété internationale de matières fissiles comme l'uranium et le thorium. Or l'Inde est le premier producteur mondial de thorium. Pour New Delhi, il en va de ces gisements comme du pétrole ou du charbon : ils appartiennent aux nations qui les possèdent, et il n'y a pas à revenir là-dessus ! Dans le même ordre d'idées, au moment de la création de l'Agence internationale de l'énergie atomique (AIEA), l'Inde s'inquiète ouvertement de la valeur réelle d'une aide nucléaire transitant par une institution dominée par les grandes puissances. C'est pourquoi elle s'oppose au renforcement des moyens de contrôle de l'Agence. En vérité, comme toutes les grandes puissances nucléaires qui l'ont précédée, l'Inde conçoit le secteur nucléaire comme l'une des composantes de son développement global indépendant. Et même si elle bénéficie de coopération étrangère, elle développe son industrie nucléaire principalement par ses propres forces et sur la base de ses propres besoins, comme par exemple son secteur sidérurgique. De ce point de vue, le nucléaire indien est donc dans sa conception très différent du nucléaire pakistanais. Ce dernier est un « nucléaire de rattrapage », créé au début des années 1970 pour répondre aux progrès indiens réalisés dans le domaine. « Notre peuple aura sa bombe islamique même s'il lui faut manger du gazon pour la financer », lance à l'époque le dirigeant pakistanais Ali Bhutto. C'est, pour certains experts, une sorte de programme nucléaire « de bric et de broc » monté principalement à coups d'espionnage, d'inventions intelligentes et de financements *ad hoc*, auquel les Chinois ont beaucoup contribué.

Ensuite, l'Inde ne cesse pendant des années de se battre en faveur du désarmement nucléaire. Non sans l'arrière-pensée de barrer la route à un éventuel programme militaire nucléaire chinois. Vraisemblablement averti par ses services de renseignements des avancées chinoises, le Premier ministre indien déclare devant le Parlement en 1960, c'est-à-dire quatre ans avant l'explosion nucléaire chinoise : « Si on ne traite pas efficacement la question du désarmement dans les deux ou trois prochaines années, il deviendra sans doute impossible de le faire plus tard.

Ensuite, on ne pourra vraisemblablement plus contrôler la situation ». De fait, l'Inde mobilise dans les plus grands forums internationaux tous les arguments qu'elle peut trouver en faveur d'un désarmement équilibré et progressif respectant l'équilibre des blocs et de la non-prolifération nucléaire. Elle demande systématiquement que les pays non-alignés soient associés au processus. Lorsque la France annonce en 1959 son intention de procéder à un essai nucléaire, Nehru exprime sa « préoccupation ». Tout comme il se félicite de la signature de l'accord de Moscou de 1963 sur l'interdiction partielle des essais nucléaires dont le préambule indique qu'il s'agit d'un premier pas vers l'interdiction générale et totale des essais. Jusqu'à cette date, la politique de l'Inde reste pour ainsi dire limpide. Si le monde avait suivi sa logique, force est de constater qu'il ne serait pas contraint de « surfer » aujourd'hui sur les vagues menaçantes de la prolifération nucléaire.

Mais la guerre sino-indienne de 1962 et l'essor nucléaire chinois conduisent les Indiens à infléchir leur politique. En 1968, l'Inde refuse de signer le Traité de non-prolifération nucléaire (TNP) conclu cette année-là. Elle dispose, certes, d'arguments valables. Pour New Delhi, les contrôles imposés par le traité ont un caractère discriminatoire car ils pénalisent les pays qui s'efforcent d'exploiter à des fins pacifiques l'énergie nucléaire : le traité revient à prolonger le monopole des Etats nucléaires, ce qui équivaut à une sorte de colonialisme. L'Inde, cependant, n'a pas d'arguments à opposer à ceux qui lui rétorquent que la frontière est plus que ténue entre le développement du nucléaire à des fins civiles et à des fins militaires. Elle se contente d'affirmer que ses intentions sont pacifiques et demande à être crue sur parole.

Le monde, pourtant, ne la croit plus quand elle procède en 1974 à son premier essai nucléaire. Et encore moins quand elle commence à tester des missiles balistiques à courte et moyenne portées. Les Américains vont d'ailleurs refuser de lui vendre certaines technologies avancées à partir de la fin des années 1980 et la Russie de Boris Eltsine fera de même en 1993. Aux yeux des experts et des acteurs politiques, l'Inde est désormais une puissance nucléaire non-déclarée. Et chacun comprend l'avantage qu'elle retire de sa politique masquée : cela lui permet de bénéficier des effets « dissuasifs » de l'atome sans affronter l'opprobre du Mouvement des non-alignés et, surtout, sans subir les mesures de rétorsion économique que prévoit la législation des Etats-Unis pour les Etats ayant choisi la voie de la prolifération nucléaire. L'Inde, d'ailleurs, prend soin de ne pas donner suite à la proposition du Pakistan et de ses voisins de faire de l'Asie du Sud une zone dénucléarisée. En 1985, elle accepte seulement de signer avec lui un accord de non-attaque réciproque des installations nucléaires. « Océan Indien – zone de paix », oui ! « océan Indien – zone dénucléarisée », non ! « Puisque la Chine est une puissance nucléaire, cela n'est pas envisageable », disent en substance les dirigeants indiens.

Fidèles à eux-mêmes, ceux-ci refusent de signer le traité sur les interdictions des essais nucléaires, *Comprehensive Test Ban Treaty* (CTBT) conclu en 1996 entre toutes les puissances du « club nucléaire ». « Celles-ci ont beau jeu de nous demander d'interdire de procéder à des tests nucléaires souterrains alors qu'elles-mêmes sont arrivées à un stade où elles n'ont plus besoin de pratiquer de tels essais pour progresser dans la maîtrise de l'armement nucléaire », disent les responsables indiens. Ceux-ci rappellent à cette occasion la série de tests nucléaires dans le Pacifique destinés à renforcer les capacités françaises, ordonnée par le président J. Chirac au lendemain de son élection. Et l'on ajoute à New Delhi que ce traité constituerait à vrai dire plutôt un traité de prolifération nucléaire que de non-prolifération. En effet, en interdisant aux puissances déjà surnucléarisées la pratique, pour elles obsolète, des tests sous-terrains, celui-ci ne les incite-t-il pas à multiplier les essais en laboratoire ? Ce qui, grâce aux progrès de la miniaturisation, débouche sur la création d'armes nucléaires très sophistiquées susceptibles d'être utilisées à des fins dites tactiques sur le terrain. La dissuasion, arme massive mais quasi non-utilisable, deviendrait ainsi l'apanage des pays les derniers venus sur le plan nucléaire, tandis que les plus avancés disposeraient de l'arme tactique, infiniment plus dangereuse. Cela, l'Inde ne saurait l'accepter.

Le gouvernement nationaliste hindou met fin abruptement à toutes les ambiguïtés en mai 1998 : elle procède coup sur coup à une série de cinq essais nucléaires dans le désert du Rajasthan, officiellement à des fins militaires. Au sein de la mouvance hindoue, certains disent dévotement qu'il y a de cela très longtemps, dans la grande épopée du *Mahabharata*, il était écrit qu'il existait une arme merveilleuse et terrifiante qui n'était autre que l'arme nucléaire : celle que le dieu Arjun dut manier pour terrasser ses adversaires, annihiler la moitié de la terre et rétablir l'ordre cosmique, le *dharma*... Un mythe auquel le Pakistan musulman a donné sa réponse sans délai, en faisant lui aussi exploser six bombes – le chiffre atteint par les Indiens, bombe de 1974 comprise – dans les semaines suivantes. Comme le reste du monde, la Chine, experte en la matière, a parfaitement compris le message indien : c'est celui d'une *Real Politik* consistant à négocier un ticket d'entrée dans le monde des super-puissances. En 1998, l'Inde a définitivement choisi de parler le langage de la puissance et d'user de ses dangereux et mortels symboles. A elle de prouver maintenant qu'elle pourra bénéficier du nouvel ordre du monde qu'elle participe désormais à instaurer à l'aube du troisième millénaire.

Questions sur l'avenir

Quelles seront les conséquences de la *Real Politik* de l'Inde sur son économie ? Le budget militaire indien augmente de 14 % en 1998-1999. Celui des dépenses nucléaires « à des fins civiles » et des industries spatiales de plus de 60 %. Quel sera l'impact de ces dépenses sur l'économie ? Auront-elles un effet d'entraînement ? Quels seront les secteurs qui en bénéficieront ? Quel sera le coût de la nouvelle course aux armements que ces expériences alimentent en Asie ? Quelles conséquences les investisseurs étrangers tireront-ils de cette nouvelle situation dans la région ? Y verront-ils poindre plus de risques pour leurs affaires, ou l'image de la puissance indienne les attirera-t-elle davantage ?

Et quel sera l'impact des sanctions américaines et japonaises décidées à l'encontre de l'Inde ? En mai 1998, la Banque mondiale a repoussé *sine die* l'octroi de plusieurs prêts à l'Inde. Le Japon a également gelé un milliard de dollars de nouveaux projets, concernant surtout l'infrastructure routière et l'énergie électrique. Selon les estimations officielles indiennes, l'Inde pourrait également se voir retirer le bénéfice de 2,2 milliards de prêts de la part de diverses grandes institutions financières internationales. Ces montants n'ont évidemment rien à voir avec les 20 millions de dollars de sanctions dont l'Inde avait été menacée par Washington au lendemain des essais. Les Etats-Unis, de surcroît, ne semblent pas déterminés à prendre des mesures de rétorsions commerciales contre l'Inde, ce qui aurait un effet boomerang sur leurs propres entreprises. En décembre 1998, le président Clinton a même décidé officiellement d'alléger les sanctions financières imposées à l'Inde et au Pakistan. A court terme, l'Inde ne devrait donc pas trop souffrir. Mais à long terme, elle sera peut-être obligée de se tourner un peu plus vers d'autres sources plus onéreuses de crédit ou de financement. Les effets indirects des sanctions, même partielles, se feront-ils alors sentir ?

CONCLUSION

L'Inde, terre des paradoxes

Où va l'Inde ? Même ses astrologues ne le savent pas. Certains, pourtant, hantent les couloirs du pouvoir. Le Premier ministre congressiste en consulta certains quand il décida de la date propice à laquelle il devait abandonner son domicile de fonction, au lendemain de la défaite électorale de son parti en 1996. Cela donna lieu à un mini-drame, son successeur, H. D. Gowda, considérant que cette date ne pouvait lui convenir. Cela fit alors les gros titres de la presse. Plus sérieusement, trop d'inconnus pèsent sur la politique indienne pour qu'on puisse répondre à cette question. A court terme, le Parti nationaliste hindou, qui dirige le pays depuis 1998, s'essouffle visiblement. A moyen terme, le retour du Parti du Congrès au pouvoir paraît donc une hypothèse plausible. L'Inde se donnera-t-elle un jour comme Premier ministre une femme d'origine italienne, Sonia Gandhi, la veuve de Rajiv Gandhi, dont la direction sur le Parti du Congrès s'est consolidée au fil des ans ? C'est possible. Cela n'en signifierait pas pour autant que l'instabilité politique serait résolue en Inde. L'analyse de la vie politique indienne montre que le pays est, depuis de nombreuses années, entré dans l'ère des coalitions qui, par définition, sont incertaines et souvent éphémères.

Quant à l'environnement extérieur, ses incertitudes interdisent également tout pronostic trop affirmé. L'équilibre de la terreur désormais déclaré entre l'Inde et le Pakistan sur le plan nucléaire ouvre-t-il de nouvelles perspectives de paix au Cachemire ? La logique de la dissuasion conduit à le penser, mais celle de la situation sur le terrain incite à se montrer très prudent. L'Inde et la Chine, désormais toutes les deux puissances atomiques, poursuivront-elles leur lent rapprochement engagé depuis une vingtaine d'années ? Sans doute pas tant que les nationalistes hindous resteront au pouvoir. Pékin n'a pas « mal pris » la décision de New Delhi d'entrer dans le club nucléaire, mais ne peut accepter la déclaration publique du Gouvernement indien, selon laquelle l'hégémonie chinoise aurait déterminé la nucléarisation indienne. C'est pourtant que ce fit le Premier ministre indien en mai 1998 en écrivant une lettre personnelle au président américain Clinton pour lui expliquer les raisons de la décision indienne. On voit mal, dans ces conditions, une reprise allègre du dialogue sino-indien. Plus généralement, l'Inde saura-t-elle négocier sa place de nouvelle grande puissance dans les relations internationales à un moment où ces dernières connaissent une évolution sans précédent dans l'histoire de l'après-seconde-guerre-mondiale ? L'optimisme est évidemment toujours de rigueur dans les chancelleries. On perçoit quand même quelques inquiétudes du côté indien. Ainsi, en 1994, dans une déclaration commune « sur la protection des intérêts des Etats pluralistes », l'Inde et la Russie «pressent les autres membres de la communauté internationale et des organisations régionales et internationales de respecter l'intégrité de ces Etats ». Il est vrai, pour s'en tenir à l'Inde, qu'imaginer que cette dernière puisse éclater reviendrait à concevoir l'un des scénarios les plus sombres de la planète, tant on pressent l'incroyable violence et l'immensité des souffrances humaines que cela pourrait engendrer. Le drame de la « partition » du sous-continent en 1947, après tout, n'est pas si éloigné dans le temps.

La roue de l'histoire, cela dit, ne tourne pas en ce sens pour l'heure. Depuis 1947, l'Inde ne cesse de se développer. Terre des paradoxes, elle semble faite pour savoir les résoudre. Paradoxe de son histoire de pays colonisé qui la voit devenir indépendante sur le plan politique alors qu'elle l'est déjà sur le plan économique : le phénomène lui permet de se développer et de constituer un Etat-nation viable, suffisamment solide pour marcher d'un pas démocratique dès les premières années de son existence indépendante. Paradoxe de son unité et de sa diversité : l'une et l'autre sont à ce point solidairement liées que le pays, loin d'être écartelé entre deux pôles opposés, est pour ainsi dire contraint à se rassembler autour de ses différences, et donc à être laïc et démocratique. Paradoxe de la démocratie elle-même : c'est parce que la démocratie indienne est en pleine croissance que l'une de ses expressions les plus anti-égalitaires, le système des castes, change aujourd'hui de sens en prenant une ampleur inégalée. Paradoxe de la puissance, enfin : trop forte dans sa région pour devenir une véritable puissance régionale et trop faible en Asie pour s'y faire reconnaître, l'Inde, terre de l'une des plus vieilles et profondes civilisations du globe, doit à coups d'explosions nucléaires se porter au sommet des grands du monde pour signifier qu'elle existe. Mais qui en doutait ?

ANNEXE

Quelques chiffres

Données socio-économiques 1997

L'Inde est l'un des plus pauvres pays de la planète. Selon le classement IDH, il se situe au 139° rang sur 174 pays.

Démographie

Population (millier) (1)	960 178
Densité (hab/km²)	292,1
Croissance annuelle (en %)	1,6
Indice de fécondité (ISF)	3,1
Mortalité infantile (°/oo)	72
Espérance de vie (année)	62,4
Population urbaine (%)	27,4

Indicateurs socio-culturels

Développement humain (DH) (2)	0,446
Nombre de médecins (% hab.)	0,41
Analphabétisme (hommes en %) (3)	34,5
Analphabétisme (femmes en %) (3)	62,3
Scolarisation 12-17 ans (%)	43,8
Scolarisation 3° degré (%)	6,4
Adresses Internet (% hab.)	0,05
Livres publiés (titres)	11 643

Armées (en millier d'hommes)

Armée de terre	980
Marine	55
Aviation	110

Economie

PIB total (millions $)	1 493 000
Croissance annuelle 1986-1996 (%)	5,7
Croissance 1997 (%)	5,6
PIB par habitant (%)	1 580
Investissement (FBCF) (en % PIB)	24,2
Taux d'inflation (%)	4,9
Energie (taux de couverture en %)	86,7
Dépense publique Education (% PIB)	3,5
Dépense publique Défense (% PIB)	2,8
Dette antérieure totale (millions $)	89 827
Service de la dette/Export (%)	27

Echanges extérieurs

Importations (millions $) (4)	40 356
Principaux fournisseurs (%)	
Etats-Unis	9,1
Union européenne	30,4
Asie	41,2
Exportations (millions $) (4)	33 898
Principaux clients (%)	
Etats-Unis	17,0
Union Européenne	27,0
Asie	39,7

Dernier recensement utilisable : 1) 1991 ; 2) 1994 ; 3) 1995 ; 4) 1996

Source : « L'état du monde, Annuaire économique et géopolitique mondial 1999 ». Paris, La Découverte, 1998

Principales productions

Produits industriels

	1997	1996
Acier	18,8 millions tonnes	18,5 millions tonnes
Tissus	34,2 millions tonnes	31,4 milliards m^2
Ciment	76 millions tonnes	70 millions tonnes
Engrais	8,6 millions tonnes	8,8 millions tonnes
Véhicules	784 037 unités	675 009 unités
dont voitures	481 020 unités	415 919 unités

Produits agricoles

	1997	1996
Riz	80,5 millions tonnes	79,6 millions tonnes
Canne à sucre	271 millions tonnes	283 millions tonnes
Coton brut	14,5 milliards de balles	13 milliards de balles
Jute et	11 millions de balles	9 millions de balles
Thé	780 millions de kg	753,9 millions de kg

Pétrole et gaz naturel

	1997	1996
Pétrole brut	31,5 millions de tonnes	34,5 millions de tonnes
Gaz	22,7 millions de m^3	22,3 millions de m^3

Produits miniers

	1997	1996
Charbon	285,7 millions tonnes	270 millions tonnes
Bauxite	5,6 millions tonnes	5,3 millions tonnes
Minerai de cuivre	4,5 millions tonnes	4,7 millions tonnes
Manganèse	1,8 million tonnes	1,8 million tonnes
Pierre à chaux	10,3 millions tonnes	9,4 millions tonnes

Principales importations

Machines et matériel de transport	5,4 milliards $	5,8 milliards $
Biens d'équipement	1,8 milliard $	2,4 milliards $
Pétrole et produits pétroliers	10,08 milliards $	7,5 milliards $
Produits chimiques organiques et inorganiques	2,7 milliards $	2,5 milliards $
Fer et acier	1,46 milliard $	1,44 milliard $

Principales exportations

Textiles	7,7 milliards $	7,1 milliards $
Pierres précieuses et bijoux	4,7 milliards $	5,2 milliards $
Produits agricoles	6,7 milliards $	6 milliards $
Services d'ingénierie	4,8 milliards $	4,3 milliards $

Source : « Asia 1998, Yearbook, a Review of the Events of 1997 »
Far Eastern Economic Review, 1998

BIBLIOGRAPHIE

Boquérat, *Les Avatars du non-alignement. L'Inde et les politiques d'aide américaine et soviétique de l'indépendance à la conférence de Tachkent (1947-1966)*, Paris, Publications de la Sorbonne, 1997.

R. Brunet (dir.), F. Durand-Dastès, G. Mutin, *Afrique du Nord, Moyen-Orient, Monde indien*, Paris, Belin/Reclus, 1995.

J. Coussy, *L'Inde face à la régionalisation de l'économie mondiale*, Paris, Les Etudes du CERI, n° 23, février 1997.

J. Delumeau (dir.), *Le Fait religieux*, Paris, Fayard, 1993.

F. Durand-Dastès, *Géographie de l'Inde*, Paris, Presses universitaires de France (Que sais-je ?), 1988.

F. Durand-Dastès, *L'Inde, Le Dossier.* Paris, La Documentation française, *Documentation photographique*, n° 7018, août 1993.

M. K. Gandhi, *Autobiographie ou Mes expériences de vérité*, Paris, Presses universitaires de France (Quadrige), 1982.

J. Heitzman et R. L. Worden (éds.), *India. A Country Study*, Washington, Library of Congress (Federal Research Division), 1996.

G. Heuzé et M. Selim (éds.), *Politique et religion dans l'Asie du Sud contemporaine*, Paris, Karthala, 1998.

India, a Country Study, Washington, Library of Congress, 1996.

C. Jaffrelot (dir.), *L'Inde contemporaine de 1950 à nos jours*, Paris, Fayard, 1996.

C. Jaffrelot, *La Démocratie en Inde. Religion, caste et politique*, Paris, Fayard, 1998.

P. Jayakar, *Indira Gandhi. A Biography*, New Delhi, Viking, 1988.

F. Landy et J.-L. Racine, « Croissance urbaine et enracinement villageois en Inde », dans *Espace, Populations, Sociétés (Les populations du monde indien)*, édité par l'université des sciences et technologies de Lille, 1997 – 2/3.

« L'Inde contemporaine », *Historiens et géographes*, n° 356, février-mars 1997.

C. Markovits (dir.), *Histoire de l'Inde moderne, 1480-1950*, Paris, Fayard, 1994.

« Perspectives sur l'histoire de l'Inde », *Historiens et géographes*, n° 353, juin-juillet 1996.

B. Sergent, *Genèse de l'Inde*, Paris, Payot, 1998.

J.-L. Racine et J. Racine, Viramma, *Une Vie paria. Le Rêve des asservis. Inde du Sud*, Paris, Plon UNESCO (Terre humaine), 1995.

D. Thorner, *The Shaping of Modern India*, New Delhi, Allied Publishers, 1980.

Y. Thoraval, *Les Cinémas de l'Inde*, Paris, L'Harmattan, 1998.

M.-J. Zins, *Histoire politique de l'Inde*, Paris, Presses universitaires de France, 1992.

M.-J. Zins, *Politique de l'Inde*, Paris, Presses universitaires de France (Que sais-je ?), 1994.

Liste des cartes

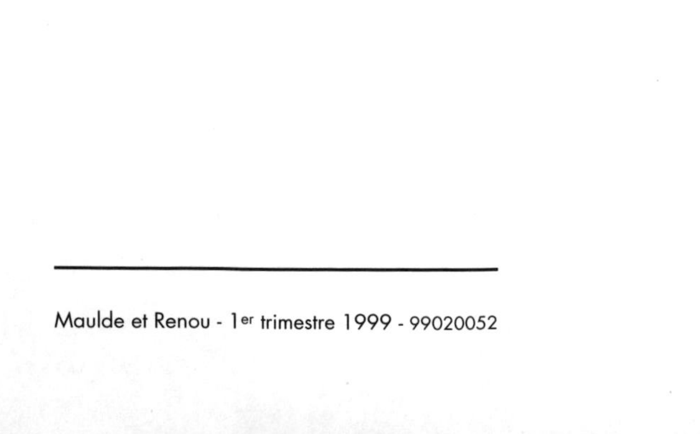

Maulde et Renou - 1er trimestre 1999 - 99020052